JN126817

中絶がわかる本

MY BODY MY CHOICE

ロビン・スティーブンソン　塚原久美 訳　福田和子 解説　北原みのり 監修

MY BODY MY CHOICE

Written by Robin Stevenson
Illustrated by Meags Fitzgerald

Published by arrangement with Orca Book Publishers, Victoria, Canada,
through Tuttle-Mori Agency, Inc., Tokyo.

装丁：松田行正＋梶原結実

校正：鷗来堂

DTP：NOAH

編集：小田明美

私の友人パット・スミスに、多くの愛と尊敬を込めて。

そして、すべての人々のリプロダクティブ・ライツとリプロダクティブ・ジャスティスのために

闘っている世界中の多くの献身的で、思いやりに満ち、骨身を惜しまないみなさまに。

MY BODY MY CHOICE
日本の読者のためのメモ

私の著書“MY BODY MY CHOICE : The Fight for Abortion Right”が日本で翻訳出版されることを知って、たいへんうれしく、光栄に思っております。作家というものは、自分の本が他の国で新たな読者に読んでいただけることに常に胸が高鳴るものですが、日本のみなさまにお届けできることには格別の喜びがあります。それと言いますのも、私は幼い頃に家族で名古屋に住んでいたことがあり、それが私にとって幼い頃の最初の記憶だからです。今でも日本には大勢の友人がいますし、いつか再び訪ねていきたいと思っていたのですが、どうやら私の本のほうが先に日本を訪れることになりそうです。

本書は、2019年にカナダとアメリカで出版されました。この本への反応は興味深いものでした。高評価のレビューをいくつもいただき、ブリティッシュコロンビア州の最高の児童書賞であるシーラ・A・エゴフ児童文学賞を受賞し、読者からはとても重要な本だという声が寄せられたのです。ところが、これまでの私の作家としての経験とは対照的に、この本については、公開読書会が開かれたり、本のテーマについて学生たちと話をしたりする機会にはほとんど恵まれませんでした。それではっきりわかったのは、やはり中絶にまつわる社会的な烙印（スティグマ）は根深く、しごく一般的に行われているこの医療行為が、今もまだ物議をかもすテーマであり、タブー視されているということです。人々の態度を変え、意識を高めるには、まだまだやるべきことが山積みなのです。

私がこの本を書き始めたのは、2017年にドナルド・トランプが米国大統領に就任した直後のことです。当時のアメリカでは、中絶の権利が危険にさらされ、安全で合法的な中絶を受けることがどんどん難しくなりつつあるように感じられました。残念ながら、性と生殖の権利（リプロダクティブ・ライツ）に対する脅威は今もエスカレートしています。たいへん衝撃的だったのは、一貫して男女平等を訴え、中絶の権利を擁護してきたルース・ベイダー・ギンズバーグ最高裁判事が2020年に死去したことです。最高裁判事の席がひとつ空いたところに、トランプ政権3人目の最高裁判事として、中絶権に反対するエイミー・コニー・バレットが指名されました。その結果、アメリカ最高裁は保守派が圧倒的多数を占めるようになったのです。

その直後、最高裁は妊娠6週目以降の中絶を禁止するテキサス州法の差し止めを却下しました。妊娠6週とは、生理が止まってから2週間後で、ほとんどの人が妊娠に気づかないタイミングです。

しかもこの法律は、アメリカ国内で暮らすあらゆる民間人が、テキサス州内で誰かの中絶を手助けした人を訴えることができるという奇妙な内容も含んでいます。中絶に付き添った友人や、クリニックで女性を降ろしたタクシーの運転手までもが訴えられる可能性があるのです。この法律が最高裁で違憲とされなかったことで、他の州も勢いづき、テキサス州の後に続こうとしています。今のアメリカでは、中絶権の行方と、今後、中絶にアクセスできなくなるのではないかという不安がかつてないほど高まっています。

世界中で、中絶の権利と性と生殖の正義（リプロダクティブ・ジャスティス）を求める闘いが続いています。一部の国々では、以前に増して厳しい制約を課すような法律が可決されています。それでも敵対的で危険な環境の中で、変革を求めて闘い続けているアクティビストたちもいます。たとえばポーランドでは、中絶の権利を守るグループが爆破予告や死の宣告を受けながら活動しています。一方で、数々の重要な勝利を収めてきた国々もあります。2021年には韓国で中絶が脱犯罪化されたし、アルゼンチンでは妊娠14週目までの中絶が合法化され、メキシコでは最高裁が「中絶は犯罪ではない」との判断を下したことで国中の中絶が合法化されました。

日本国内のアクティビストたちも、中絶を求める人々に対して障壁を築きアクセスを制限している法律に異議を唱え、中絶を受ける権利のために立ち上がっています。優先的な課題の一つは、既婚女性が中絶を受けるために配偶者の同意を得ることを定めている法律の撤廃を求める活動です。世界保健機関（WHO）は、中絶に第三者の同意を義務づける法律の廃止を求めていますが、その種の法律は日本以外にもまだ10カ国——インドネシア、クウェート、モロッコ、トルコ、台湾、シリア、アラブ首長国連邦、赤道ギニア共和国、サウジアラビア、イエメン——に存在しています。

日本で中絶の権利を求めている人々にとって、もう一つ重要な争点は、日本ではまだ承認されていない中絶薬を獲得することです。中絶手術は非常に安全で一般的かつ迅速な処置だとはいえ、手術ではなく薬を使って自宅で妊娠を終わらせたいと思う人たちもいます。病院やクリニックに行くのが難しい人にとって、中絶薬はより手の届きやすい選択肢になります。妊娠を終わらせることを願っている人々には、薬による中絶を含み、あらゆる選択肢が与えられるべきです。

読者のみなさまがリプロダクティブ・ライツや中絶について抱いている疑問に、この本が答えられていることを願っています。本書で示した情報や体験談によって、今、中絶しようかと考えている人や、中絶のことで悩んでいる友人を支えようとしている人々の孤独感が和らぎ、より自信をもって自分で選択できるようになることを願っています。そして、リプロダクティブ・ライツと正義のための闘いに参加したいと考えているみなさまにとって、歴史上の人物や世界中のアクティビストたちの物語が、まさに私にとってそうだったように、勇気を与えてくれることを願っています。

2021年12月

ロビン・スティーブンソン

推薦のことば

妊娠したかもしれない不安や恐怖に、眠れない夜を過ごす女性は少なくありません。待ち望んだ妊娠もあれば、苦悩や絶望に追い込まれる妊娠もあります。妊娠したことを誰にも告げられずに、今も一人で苦しんでいる人もいるでしょう。罪悪感や恐怖のために中絶を選択できずに悶々と時を過ごしている人もいるでしょう。

妊娠を継続するか中絶するかの選択肢は、重く女性たちにのしかかります。大げさでなく、人類の歴史は妊娠、中絶、出産を巡る女性たちの不安や、葛藤の道だったともいえます。それなのに、この世界は、妊娠する側の視点に立った妊娠や中絶を巡る物語を、積極的に語ってきたとはいえません。

この本には、人類の半分側が体験した大切な物語が詰まっています。妊娠する身体の歴史です。安全な中絶を勝ち得るために、どれだけの命が犠牲になり、どれだけの声が必要だったことでしょう。国によって、中絶に関する法律も、受けられる中絶の方法も違うなかで、女性たちの連帯が歴史を変えてきました。それなのに残念ながら今も、安全ではない中絶によって毎年数万人もの女性が命を落としています。今も、安全な中絶を求める闘いは渦中にあります。日本も例外ではありません。

残念ながら今の日本は、性教育が十分に行われず、避妊の知識も、そして性と生殖に関する知識も教育を通して得ることができません。安価な緊急避妊ピルを薬局で処方箋なしに手に入れることもできず、多くの国が導入している安全な中絶薬もようやく治験がはじまったところです。若い女性たちが孤独出産のうえ逮捕される事件が後を絶たない背景に、性教育の脆弱さ、ジェンダー不平等などの深刻な問題がみえてきます。

中絶のことをもっと知りたい。世界の女性たちとつながりたい。中絶の話をしたい。そういう思いで、人権の視点に立った中絶の本を日本語で出版できることを嬉しく思います。

訳者の塚原久美さんは、日本で一般的に行われてきた「掻爬」という中絶方法が、世界では危険とされていることを20年前から問題提起されてきました。国際セーフアボーションデーに連携する運動など、安全な中絶の権利を求めて献身的に活動されてこられました。塚原さんの情熱が、この出版に結びつきました。また、女性の選択肢があまりにも少ない現状を訴える「#なんでないのプロジェクト」を立ち上げた福田和子さんに、本書の解説を依頼しました。女性たちの闘いの歴史、そして今の世界、日本の今、がぎっしりと詰まった一冊になりました。

私たちの身体の大切な話。語るための言葉が、私たちには必要です。本書は力強い女友達のような一冊になることでしょう。

MY BODY MY CHOICE。私の身体は私が決める。大きな声で、そう、私たちは言い切っていいのです。

2021年12月

北原みのり

中絶がわかる本

MY BODY MY CHOICE

もくじ

#METOO
V
8

INTRODUCTION

はじめに

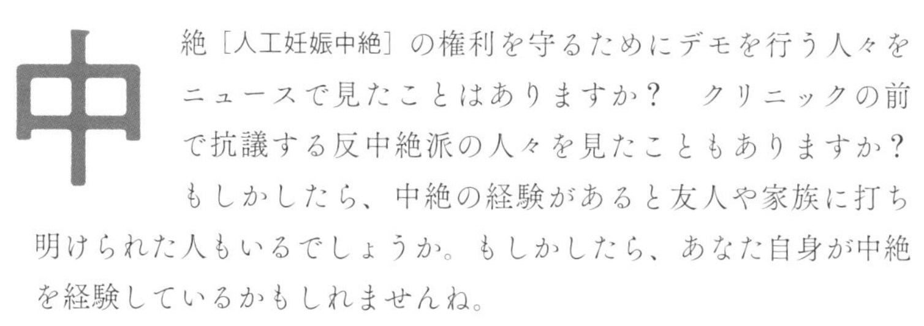

中絶［人工妊娠中絶］の権利を守るためにデモを行う人々をニュースで見たことはありますか？　クリニックの前で抗議する反中絶派の人々を見たこともありますか？　もしかしたら、中絶の経験があると友人や家族に打ち明けられた人もいるでしょうか。もしかしたら、あなた自身が中絶を経験しているかもしれませんね。

中絶は最もよく行われている医療行為の一つです。北アメリカでは女性の４人に１人が45歳までに一度は経験しています。だから、あなたの周りにも――たとえ気づいていなくても――中絶した人がいるのはほぼ確実です。中絶は**スティグマ**[*1]にまみれているので、経験していても口に出さない人が多いだけなのです。

中絶を悪いことだと思う人々は、中絶を違法にしたり、妨害したりします。でも、それでは中絶の数は減りません――ただ危険なものにしてしまうだけです。きちんと訓練を受けた医療提供者が行う限り、中絶は――お産より10倍も――安全です。中絶が合法化される前のカナダやアメリカでは、大勢の女性たちが危険な非合法

＊1　特定の事象や属性の人に対する偏見や差別意識に基づき社会的な烙印を刻まれる／汚名を着せられる／名誉を傷つけられること。

1970年の平等を求める女性たちのストライキの最中に、何万人ものフェミニストがニューヨークの路上を行進した。ワシントンDCで行われたこのデモのように、全国各地で数多くの組織的なデモがくり広げられた。彼女たちの目標の一つは当人から要求があれば応じるという意味の「オンデマンド*2の無料中絶」だった。

の中絶で死亡し、重傷を負っていました。今でも世界中で、危険な中絶のために毎年何万人もの女性が命を落としています。

過去50年間、中絶の権利を支持する人々は、安全で合法的な中絶が保障される世界を作ろうと懸命に闘ってきました。反対派の攻撃は激しく、時に暴力にまで訴えてきました。苦労して勝ち取ってきた女性が自分の身体を自分の思い通りにする権利は、今も脅威にさらされています。今や世界中の人々が中絶について声を上げ、沈黙を破り、**タブー**を打ち破っています。人々に知識を与え、政府に対して**ロビー活動**も行っています。寄付を集め、中絶を受けられない女性たちに救いの手を差し伸べ、インターネットの力を借りて、中絶が犯罪だとされている国々の女性たちに安全な中絶薬が今日も届けられているのです。

*2　理由を問われることなく女性当人の要求しだいで中絶を受けられること。

2012年にアイルランドのダブリンで行われた「選択権を支持する行進」。

この本ではさまざまなアクティビスト[*3]たちと出会えます。1970年の中絶キャラバンでカナダ中をまわった女性たち。中絶が非合法だった時代に安全な中絶の方法を教えあったシカゴのフェミニストたち。船で公海にのりだして中絶を行わせた女性たち。**クラウドファンディング**で中絶クリニックを開いた共同体のグループ、人々が中絶医療にたどり着けるようにウェブサイトを開いた学生たち。日常的に嫌がらせや脅迫を受けながらも、中絶医療を提供することに命をかけた医師たち。そして、人々を教育し改革を求めて政治活動を行い、望まない妊娠に悩む人々を助けている世界中の若きアクティビストたち。

中絶権を求める長い闘いは、勇敢で創造的で情熱的な新世代のアクティビストたちに受け継がれています。この本では、そうした闘いの歴史――そして未来――を紹介します。

中絶とは?

自然流産または**流産**とは、胎児が自力で生存できるくらいに育つ前に自然に妊娠が終わることを指します。妊娠の約10～25%は流産に終わります。一方、人々が「中絶」と言うとき、普通は意図的に妊娠を終わらせる**人工妊娠中絶**のことを意味します。この本でも「中絶」とは人工妊娠中絶のことを指しています。中絶の大多数――およそ9割――が**妊娠初期**（最初の12週まで）に行われています。

妊娠を終わらせる方法には、**外科的中絶**と**内科的中絶**の2つがあります。カナダやアメリカでは、どちらの方法も一般的で安全です。

• 外科的中絶

北アメリカの中絶の過半数が、クリニックや病院で処置されています。一般的に、妊娠初期に吸引中絶または真空吸引という方法で、

*3　活動家。政治的・社会的な問題について活動する人のこと。

患者の子宮**頸管**を拡げてカニューラと呼ばれる細いストロー状の器具をさし込み、取り付けた管でそっと吸い出すことで子宮の中身を空にします。この処置は全部で5分程度で終わります。

中絶の時期が少し遅めになると拡張除去術（D&E）と呼ばれる吸引と医療器具を使った処置で子宮の中身を空にします。この処置は多少長めになりますが、15分もあれば完了します。

どちらの処置もたいてい生理痛のような痛みを伴いますが、強さは人によってまちまちです。鎮痛剤や鎮静剤をもらえるし、通常、次の日にはふだん通りの生活に戻ることができます。

• 内科的中絶

北アメリカでは約2割の中絶が薬の内服で行われています。国によってはこの方法が大半を占めています。これは薬物中絶や内科的中絶と呼ばれ、**ミフェプリストン**（RU486）と**ミソプロストール**の2つの薬剤を組み合わせて使います。この2つをセットにした商品が「中絶薬」と呼ばれることもあります。カナダでは**ミフェジマイソ**という製品名で販売されています（妊娠を防止する**緊急避妊薬**——モーニングアフター・ピルまたはプランB——とは別物です）。

妊娠初期10週間は、中絶処置の代わりに中絶薬を使えます。中絶薬は自然流産に似た形で妊娠を終わらせ、下腹部痛や出血と共に子宮の中身を排出させます——重い月経に似た状態が数時間から2日間ほど続きます。下腹部痛を抑える市販薬を併用すれば、自宅でも安全に使えます。中絶処置同様に、たいていの場合、次の日にはふだんの生活に戻れます。内科的中絶は外科的中絶に代わりうる安全で有効な手段だということが、複数の研究で証明されています。

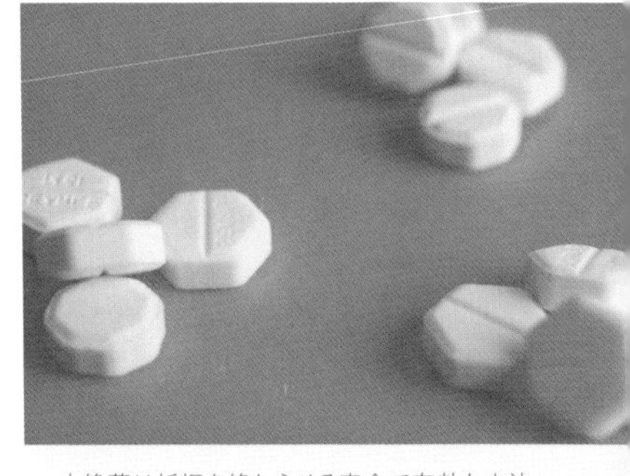

中絶薬は妊娠を終わらせる安全で有効な方法。

全米中絶基金ネットワークのリプロダクティブ・ライツの支持者たちが掲げる重要なメッセージ「中絶は普通のことだから、私たちが気づいているかどうかは別として、私たちはみな、中絶を経験した人を知っているし、愛しています」。

中絶は誰のもの?

中絶を経験している人は大勢います。世界中で、毎年5000万件を超える中絶が行われているのです。カナダでは全妊娠の約4割が予定外の妊娠で、その約半分が出産に至り、残り半分が中絶に終わっています。アメリカでは毎年約100万件の中絶が行われ、そのうち約12%を10代の少女が占めています。カナダでは約半数が25歳未満です。中絶を受ける人の多くに、すでに1人以上の子どもがいます。半数近くが男性パートナーと暮らしていて、何らかの**避妊**手段を用いていたのに妊娠してしまった人が過半数です。

あらゆる宗教的背景をもつ人々が中絶を受けています。2014年のアメリカの調査によると、中絶患者のうちプロテスタントが17%、福音派が13%、カトリックが24%、無宗教が38%でした。残り8%はそれ以外の宗教の信者です。

あらゆる宗教、国籍、所得レベル、人種や文化的背景をもつ人々が、妊娠を終わらせることを選び、中絶医療へのアクセスを必要としている。

あらゆる文化的、人種的、民族的背景をもつ人々が中絶を受けています。アメリカに移住してきた人々と、アメリカ生まれの人々の中絶率はほとんど変わりません。中絶する人々の中には高校生もいれば、専門学校生や大学生もいます。中絶する人々の多くは貧困であるか低所得です。大半は女性ですが、そうでない性自認の人々もいます——**トランスジェンダー**の男性*4や**ノンバイナリー***5の人も、子宮があれば妊娠するし、望まない妊娠を経験することもあります。

中絶を選ぶ理由は人それぞれです。子どもを育てる余裕がないとか、他の誰かの世話をするために中絶を選ぶ人もいます。子どもがいると仕事ができなくなるとか、学校に行けなくなると思う人もいます。なかには、単に子どもがほしくない人もいます。

中絶する人々には——年齢や宗教、国籍、信念、生活状況がまちまちでも——共通点が一つあります。それは、現在妊娠していて、その状態を望んでいないということです。

---

*4　身体は女でも性自認は男。
*5　性自認が男でも女でもないということ。

著者より

私がこの本を書くために参照した歴史的文献、研究、統計の多くが言及しているのは大半が女性です。その場合、私は原典を反映した言葉を使っています。それ以外の場合、妊娠を経験した人々または中絶した人々について語るとき、私はトランスの人々を排除しないような言葉を使うように努めています。

ADVICE TO MARRIED LADIES.—MAD-
AME RESTELL, Professor of Midwifery, having over
thirty years' successful practice in this city, guarantees
a safe and immediate removal of all special irregularities
and obstructions in females, with or without medicine,
at one interview, or by mail. Can be consulted with the
utmost confidence at No. 162 Chambers-st. Her infalli-
ble French Female Pills, No. 1, price $1. or No. 2 which
are four degrees stronger than No. 1, and can never fail.
are safe and healthy, price $5. can be sent by mail. Also
sold at the druggist's, No. 152 Greenwich-st., near Liber-
y-st. Madame RESTELL deems it her duty to caution
dies against imitators, who not only deprive them of
r means, but their health.

CHAPTER ONE

第1章

振り返ると：中絶の歴史

世界中で、女性たちは望まない妊娠を終わらせるために薬草や何かしらの調合物を常に使ってきました。中国の神話上の「神農*1」は、5000年前に流産を引き起こすために毒性の強い水銀を用いたと伝えられています。3500年以上前に書かれた世界最古の医学書の一つ「エーベルス・パピルス」には、中絶の証拠が残されています。

古代ギリシャの哲学者プラトンは、中絶を行うことは産婆（ミッドワイフ）*2の重要な役目の一つだとしています。500年後、ギリシャの医師ソラヌスは、当時、中絶に使われていた方法を医学の教科書に書いています——ただし、どれも効き目は怪しくて、なかには危険な方法も含まれていました。なにしろ、「ぐんぐん歩き、家畜の背に揺られ、思い切り飛び跳ね、重すぎる荷物

エーベルス・パピルスは長さ約20メートルのパピルスの巻紙に書かれたもので、アカシアの樹液やデーツ、蜂蜜などを用いた中絶方法も記されている。

＊1　人々に医療と農耕の術を教えたとされる。
＊2　伝統的に出産の介助をするミッドワイフ（女と共にいるの意）、現代の助産師。

を運ぶこと」をすすめていたのです。ソラヌスは飲用または入浴用のさまざまな薬草を調合し、「大量に血を抜く」こともすすめました。ぞっとする話ですが、驚くことはありません。紀元前5世紀から19世紀末まで、瀉血（しゃけつ）[*3]はさまざまな病気の治療法に最もよく使われていたのです。

中世では、女性が「胎動」を感じるまでは妊娠したとは考えられていませんでした。通常、胎動を初めて感じるのは妊娠16週から18週にかけて起こります。それまでは妊娠したとはみなされなかったので、女性たちは月経の再開を期待してさまざまに調合した薬草を服用しました。

数多くの地域で、自分の「妊よう性[*4]」を調節したり、望まない妊娠を初期に終わらせたりする女性の特権はごく最近まで制限されていませんでした。ではいったい何が変わったのでしょう？

人種差別と人口調節

古い英国法にならって、植民地時代のアメリカでも胎動が起こるまでの中絶は合法でした。アメリカ合衆国憲法が採択された1787年、中絶は公に宣伝され行われていました。出生調整（バースコントロール[*5]）も行われましたが、現代の避妊に比べると不確実でした。19世紀も半ばになると、中絶を禁じる法律が制定されました。

出生調整と中絶を犯罪化した主な理由は、人種差別に根ざしていました。立法者たちは白人が数でまさることを望んだので、白人の女性には多産を奨励しました。中絶を犯罪にした頃に、白人以外の移民を制限する人種差別的な移民政策も始まりました。出生率の高い新たな入植者たちの人口が増えることを、政府が恐れていたからです。

性と生殖に関する権利（リプロダクティブ・ライツ）と自由の歴史は人種差別の歴史とからみ

---

*3　病気の治療のために血を抜くこと。
*4　妊娠できる力のこと。
*5　産む子どもの数や産む間隔などを調整すること。

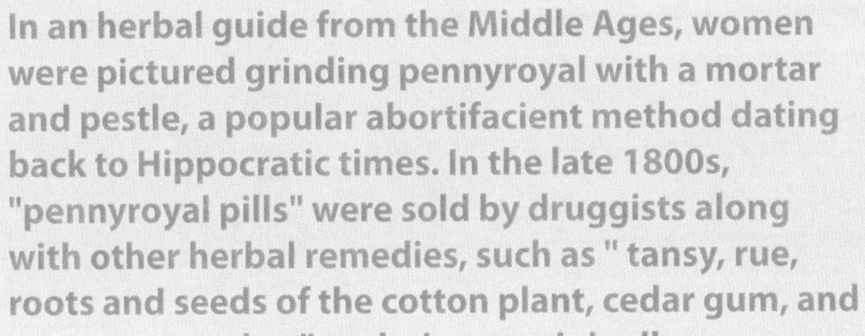

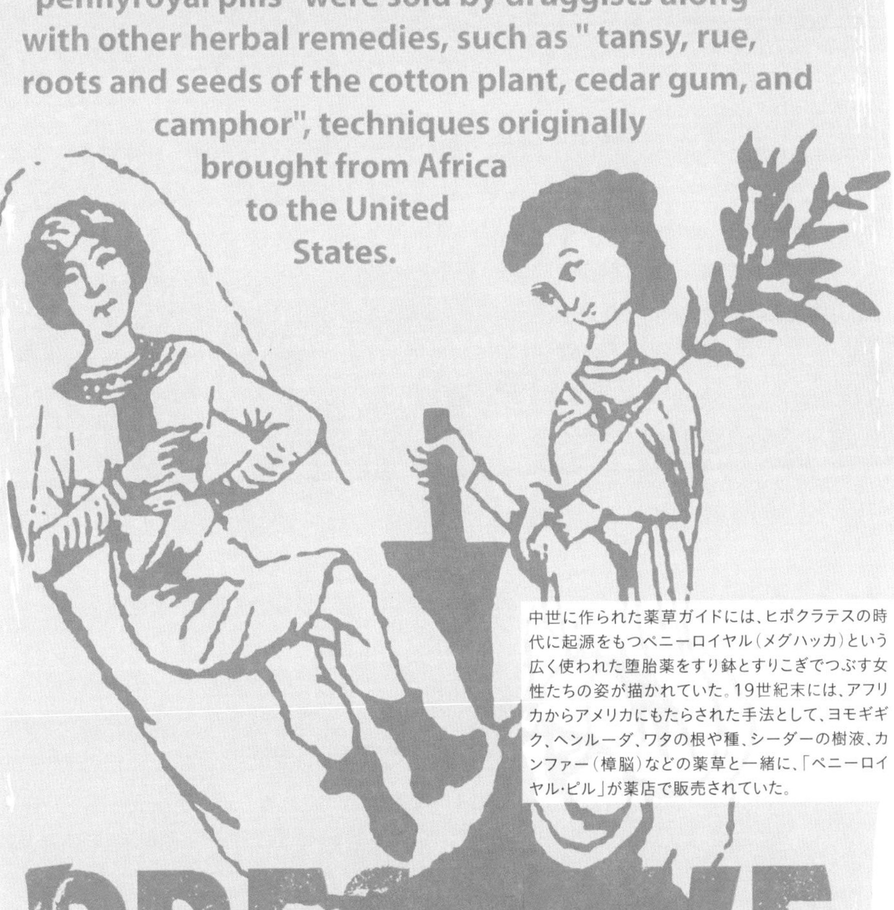

中世に作られた薬草ガイドには、ヒポクラテスの時代に起源をもつペニーロイヤル（メグハッカ）という広く使われた堕胎薬をすり鉢とすりこぎでつぶす女性たちの姿が描かれていた。19世紀末には、アフリカからアメリカにもたらされた手法として、ヨモギギク、ヘンルーダ、ワタの根や種、シーダーの樹液、カンファー（樟脳）などの薬草と一緒に、「ペニーロイヤル・ピル」が薬店で販売されていた。

4000年間の選択肢を守ろう！

あっています。17世紀には、ヨーロッパ出身の白人入植者たちが富と権力を増大させるために数々の「人口管理」策を打ちだしました。1662年には初の人口管理法が制定されました。この新法は、生まれた子どもの法的地位――奴隷なのか自由市民なのか――は母親の地位に準ずるとしました。つまり、“奴隷女”の産んだ子は奴隷所有者の所有物だとされたのです。奴隷として生まれた大勢の子どもたちが、母親から引き離され、売り払われていきました。1807年にアメリカ議会が奴隷の輸入を禁止する法律を成立させると、奴隷所有者たちは“奴隷女”に妊娠をさせ、産ませることで未来の奴隷を手に入れようとしたため、レイプや出産強制が極度に広まりました。

奴隷にされた女性たちは、対抗策を見出していきました。薬草を使って避妊する方法を互いに教えあったのです。女性たちがひそかに妊娠を終わらせるのを助ける産婆たちもいました。奴隷として生涯を送る子どもを産むのを拒むこと――奴隷所有者のために新しい奴隷を産むのを拒むこと――は、長い年月、奴隷にされてきた女性たちが抵抗を示す手段の一つになりました。

中絶の犯罪化

19世紀には、中絶ばかりでなくあらゆる外科処置はリスクを伴うものでした。出産も危険で、数多くの母子が亡くなりました。科学が進歩して医療が変わると、出産とたいていの外科手術の安全性は高まりました。一方で、中絶のリスクが変わらなかったのは、中絶を禁ずる新しい法律のために、多くの女性が非合法の堕胎に追いやられたためでした。何百万人もの女性たちが非合法の堕胎や自己堕胎を試みて、大勢が死亡しました。どれほど危険でも、女性たちは自分の身体と人生を必死で守ろうとしたため、19世紀末は今よりずっと中絶が一般的だったのです。

男性が大半を占める正規の医師たちは、産婆のような中絶を提供する女性たちと競合するのを嫌がり、中絶は不道徳的で危険だと主

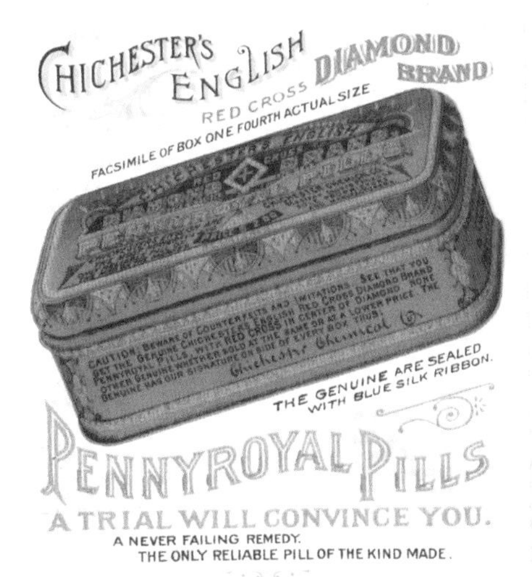

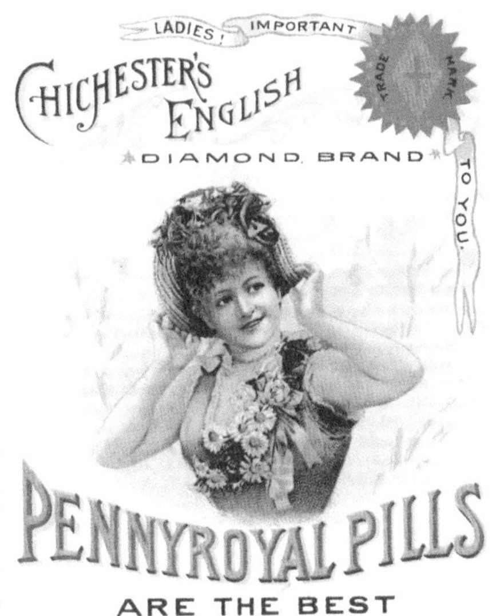

月経をもたらす薬の広告はビクトリア朝時代から20世紀初頭まで普通に見られた。多くの薬は有効ではなく、相当に毒性の強いものも含まれていた。中絶を引き起こせるだけの量のペニーロイヤルを服用すると、死んでしまうか、服用した人の肝臓や腎臓に永久的なダメージを与える可能性があった。

張して、犯罪化するよう圧力をかけました。アメリカのほぼ全州で、1910年までに中絶を犯罪とする法律が作られ、女性の命を救うために——医師が——必要だと判断した場合のみ例外にしました。これで、医師しか合法的に中絶を行えなくなったのです。

カナダでは1869年に中絶が禁止され、自己堕胎を試みた女性と介助者は共に終身刑に処されるようになりました。1892年、カナダ議会の初の刑法では、中絶のみならず避妊薬や避妊具の販売、配布、広告も禁止されました。ソーシャルワーカーのドロシア・パーマーは、出生調整の情報を提供した罪で1936年に逮捕され、告訴されたとき、次のように証言しました。「遅かれ早かれトラブルに巻き込まれるのはわかっていました。何カ月か投獄されるかもしれないと。でも行く先々で起きていた家々の絶望的なようすを目の当たりにしたら、釈放された瞬間にまた同じことをするでしょう」

カナダでもアメリカでも、同情や医学的理由のために中絶を行っ

ある種の救済策

19世紀の施術師アン・トロウ・ローマンは、マダム・レステルという名で40年間にもわたってニューヨーク市で公然と中絶の広告を出し、中絶を行っていた。彼女は医学教育を受けておらず、妊娠を終わらせるのに効果があると広く信じられていた民間療法の薬草を提供した。マダムの薬は「月経を調節する」ものと宣伝された。薬草中絶が失敗すると、マダム・レステルは外科手術を行った。その名は広く知られ、「レステリズム」という言葉は「中絶」を意味するほどだった。マダム・レステルが中絶を始めた当時、中絶はまだ犯罪ではなかった。後に新法が通過すると、彼女は逮捕され、告発された。1878年に彼女は自死を遂げた。

右上から：アン・ローマン、またの名をマダム・レステル／マダムが夫チャールズ・R・ローマンと暮らしていたニューヨークの豪邸／マダム・レステルの逮捕を報じるニューヨーク・イラストレイティッド・タイムズの記事／1840年4月にニューヨーク新聞に載った広告で、マダム・レステルは「健康のために家族の急増を防ぎたい既婚レディーの予防薬」と宣伝

TO MARRIED WOMEN.—MADAME RESTELL, *Female Physician*, is happy to have it in her power to say that since the introduction into this country, about a year ago of her celebrated Preventive Powders for married ladies, whose health forbids a too rapid increase of family; hundreds have availed themselves of their use, with a success and satisfaction that has at once dispelled the fears and doubts of the most timid and skeptical; for, notwithstanding that for twenty years they have been used in Europe with invariable success, (first introduced by the celebrated Midwife and Female Physician.

た医師たちは罪に問われる可能性がありました。それでも20世紀前半に、家庭医（ファミリードクター）*6の多くは違法と知りつつ中絶を行いました。1929年から1939年にかけての大恐慌のさなかには、全妊娠の4分の1以上が中絶に終わったと推定されています。当時のファミリードクターは手術も行っていたので、女性自身が望んでいない妊娠を終わらせることは診療の一環にすぎないと見ていたのです。だからお金があり、お抱えの医師がいるような女性たちは、安全な中絶を受けることができました。でも、貧しい女性たちは違います――そのために最も苦しめられることになったのです。

ドロシア・パーマーの裁判は6カ月もかかったが、判事はパーマーに有利な判決を下した。それは女性の権利のためではなく、貧困層の人口増加を抑制したいという願望に根ざしていた。

大恐慌が終わると、白人の女性には多産が奨励され、母親業よりもキャリアを優先したり子どもを産まないことを選んだり、十分な数の子どもを産んでいない女性たちは強い非難を浴びました。中絶も同じ扱いでした。

一方で、黒人女性の扱いはまったく別物でした。奴隷制が廃止されると――黒人の赤ん坊たちがもはや奴隷所有者の所有物ではなくなると――黒人女性の出産は奨励されなくなりました（強制不妊手術については37ページのコラムを参照）。貧困をもたらしている数々の要因――有色の人々*7に対する雇用機会の制限、劣悪な教育環境、医療を受けられないこと――を無視して、立法者たちは自分で養えないほど子どもを産む有色の女性たちは「無責任」だとほのめかしたのです。この種の思考は20世紀を生き延びて、今でも一部の右派政治家の考え方に残存しています。

*6 欧米では地域の「かかりつけ医師」のことで、診療科を問わず家族全員の病気の予防、診断、治療まであらゆる健康管理を担う。
*7 白人とは異なる肌の色の人々の総称。People of color.

違法堕胎の時代

たとえ違法でも、女性たちは中絶を選択し続けました。望まない妊娠に直面した女性たちは、どれほどリスクが高くても、常にその妊娠を終わらせる方法を見出しました。正確な数は不明ですが、1950年代と1960年代には毎年何十万件もの非合法の堕胎が行われました。何万人もの女性たちが不衛生な環境で素人が行う非合法の「ヤミ」堕胎で命を落としたり、深刻な後遺症を抱えたりしました。それとは別の何万人もの女性たちも、自己堕胎を試みて死亡したり、大けがを負ったりしました。病院のスタッフたちは、十分なスキルもケアもなく行われた中絶のために、感染症にかかったり負傷したりした莫大な数の女性たちを治療するはめになりました。

裕福な女性たちは、合法的に中絶を受けられるスウェーデンなどに渡航したり、高額の料金と引き換えに手術をしてくれる国内の医師を見つけることもできたのですが、貧しい女性たちにはほとんど選択肢はありませんでした。多くの貧しい女性たちは、腕の悪いヤミ堕胎師の手にかかって苦しむか、自分自身で妊娠を終わらせようとして命を危険にさらすしかなかったのです。非合法の堕胎による死亡は周産期[*8]死亡の17%も占めていました——実際、それを上回る数の女性たちが負傷したり、病気や痛みや不妊症を抱えたりしていました。

1950年代と60年代の未婚女性にとって、結婚前の妊娠は、おぞましい結果をもたらすものでした。独身で妊娠するのはスキャンダラスなことでした——夫なしに子どもを産むのは周囲からスティグマを刻まれることを意味していたのです。一方、妊娠を回避することも困難でした。カナダとアメリカの多くの地域で未婚女性には避妊手段を得ることが認められておらず、避妊の手段が得られる地域でも、多くの女性にはそれを得るだけのお金がなかったのです。

---

*8　妊娠後期（妊娠22週以降）から新生児早期（生後7日未満）までの赤ちゃんの出生前後の時期のこと。

変革を求める闘い

抑圧のあるところには常に抵抗が生まれます。中絶が違法だったり、受けられなかったりするところには、女性たちが安全な中絶を受けられるように——時に甚大な個人的リスクを背負いながらも——骨を折ってくれる人々が常にいるものです。アメリカやカナ

おぞましい状況

ブリティッシュコロンビア大学医学部の若き卒業生、ガーソン・ロマリス医師は、1960年代初めにイリノイ州シカゴ市の中心にあるクック郡病院で研修医として働くことにした。病棟には下手なヤミ堕胎による合併症の治療を受ける女性たちが大勢いた。「9割が敗血症性流産*9の患者でした」と、2008年にトロント大学のロースクールで行ったスピーチで彼は語った。「病棟には40ほどのベッドがあり、さらに予備の簡易ベッドにも敗血症性流産患者があふれていました。毎日、10人から30人の敗血症性流産の患者が入院してきました。月に1人は大出血による敗血症性ショックのために亡くなりました……肝臓や腎臓の機能不全で黄疸になった女性のことは忘れられません。敗血症性ショックで、ひどい貧血状態で、どうにも命を救えなかったのです」

ロマリス医師の経験はめずらしいものではなかった。国中に何百もの敗血症性流産の病棟があり、そのどれもが自己堕胎の試みから回復しつつある——または死につつある——女性であふれかえっていた。同じ頃、ダニエル・ミッシェル医師はカリフォルニアの産婦人科で働いていた。「感染が進んでショック状態に陥り、肝機能不全になっている女性たちがいました。その多くが亡くなりました」と回想した。「本当にひどい状況でした。若くて健康な20代の女性たちが、不潔なヤミ堕胎の結果、感染症にかかり、亡くなっていくのを見るのはたまらなかった。女性たちは望まない妊娠を終わらせるためなら何でもするのです。自分の命までかけて。あれはまるで別の世界でしたよ」

*9　未熟な医療従事者の不衛生な手技による人工妊娠中絶に起因する。

「私が大学生だった60年代、中絶は完全に違法でした——バースコントロールに関する情報を広めることも違法だったのです。1940年代でも、お金があってお抱え医師がいる人なら、誰でも中絶を受けられたものだと母が言っていたのを覚えています。でも若い女性や貧しい女性、労働者階級の女性は、そうはいかなかったのです。

その不正義が気にかかったのです。友だちの一人が妊娠し、誰か助けてくれる医師を知らないかと聞いてきました。実は知らなかったのだけど、自分にはできないということを認めたくなかったのですね。彼女を助けることにしたら、いつのまにか一種の地下の紹介ネットワークの一味になっていました。安全な処置を行えるとわかっていながら、意味もなく女性たちが苦しめられるのは不正義だと思ったのです」

——カナダ人フェミニスト兼アクティビスト、ジュディ・レビック

ダでは、医師免許を剥奪されたり投獄されたりするリスクを負いながら、数多くの医師たちが法を破って中絶を提供しました。医師以外の医療従事者やカウンセラー、聖職者なども、女性たちに——たとえ違法ではあっても——より安全な中絶を提供してくれる人々を見つけだすのを手伝いました。また女性たち自身も、組織を作って情報を共有しました。数多くの女性たちが、クチコミを頼りに違法ながらも安全な中絶にたどり着くことができたのです。

1950年代末の北アメリカでは激動の政治の時代が幕を開けました。アラバマ州モンゴメリーでローザ・パークスが白人男性にバス

からだ・私たち自身

「ボストン女の健康の本集団」は、自分の身体に関する情報が欠落していることに憤りを感じた女性たちの小グループとして始まった。1969年にミーティングを開くようになり、1年後、のちに『からだ・私たち自身』*10という画期的な本になる小冊子が発行された。この本はセクシュアリティと性と生殖の健康と権利について包み隠さず真実を提供した。中絶の項は次のように始まる。「中絶は私たちの権利です——女性として自分の体をコントロールする私たちの権利なのです」。新聞用紙に印刷された初版の価格は35セント、本として再印刷されたのは1971年だった——やがて、クチコミによって25万部を売り上げ、前代未聞の成功を収める。それ以来、数年に一回内容が更新され、30カ国語に翻訳、400万部以上を売り上げている。

*10 日本語版翻訳グループがつけた翻訳タイトル。

スピークアウト

「私たちはそもそもCRのために『ブラック・シスターズ・ユナイテッド』を始めたのだし、世界における女性の居場所に関する自分たちの見方が、メインストリームの女性運動とどう違うのかを理解したくて、もがいていました。そんな話は、白人女性が多数派の場所ではできなかったからです」
――社会問題アクティビスト、リンダ・バーナム。ドキュメンタリー映画「怒っているとき、彼女は美しい」より

の座席を譲らなかった事件が起きたのは、1955年のことでした。続く10年間にわたり、人種間の平等をめぐる公民権運動[*11]が繰り広げられました――それは**分断**と**差別**をめぐる闘いで、完全な参政権を求める闘いでした。1960年代末には、学生を中心とした国民によるベトナム戦争に対する反戦運動も始まりました。1969年には、ゲイ、レズビアン、トランスジェンダーのコミュニティが警察と衝突するストーンウォールの反乱[*12]を起こし、ゲイの解放運動に火をつけました。さらにこの激動の時代に、**女性解放運動**[*13]も誕生したのです。

• 第二波フェミニズム

フェミニズムの第一波は、19世紀半ばに女性たちが法的権利――特に参政権――を要求したことで始まりました。1960年代から70年代の女性解放運動はかつての運動とは違っていました。70年代の運動では、法的な権利だけではなく、社会のあり方や女性たちの日常的な困難にも焦点が当てられました。女性たちは少人数の「意識を高める（CR）[*14]」グループとして集まり、自らの経験を語り合うようになりました。女性たちは自分自身の苦しみと、より大きな社会構造や制度や法律との関係に気づいていき、「個人的なこ

＊11 公民の権利。選挙権、被選挙権などを通じて国または地方公共団体の政治に参加できる資格や地位。参政権とも。ここでいう「公民権運動」とはアメリカで主に黒人が白人と平等な権利を求めた運動のこと。
＊12 1969年6月28日、ニューヨークのゲイバー「ストーンウォール・イン（Stonewall Inn）」が警察による踏み込み捜査を受けた際、居合わせた「LGBTQ当事者らが初めて警官に真っ向から立ち向かって暴動となった事件」と、これに端を発する一連の「権力によるLGBTQ当事者らの迫害に立ち向かう抵抗運動」。
＊13 性差別撤廃を目指す運動のこと。
＊14 意識覚醒。社会問題や政治問題などに対して、考えを問い直し意識を高めること。

自宅（上）やオフィス（下）に集まって経験を語り合ったり抗議活動を計画したりするフェミニストたち。

「とても政治的な時代、
世界全体が変化しつつあるような時代でした」

――フェミニスト、社会正義アクティビスト、ジャッキー・ラーキン

1968年ニューヨーク市で中絶権の抗議デモをする人々。

とは政治的」が運動のスローガンになりました。

CRで女性たちが話し合った話題の一つが中絶でした。大勢の女性が非合法の中絶を経験していたので、自分の経験を――たいていは生まれて初めて――語ったことで、女性たちは自分が一人ではないことに気づいていきました。中絶する権利は男女平等のための不可欠な要素とみなされるようになり、避妊と中絶の両方を含むリプロダクティブ・ライツは女性解放運動の主要な争点になったのです。

同じ処置、だけど、異なる経験

性と生殖に関する権利と自由について白人と有色の女性たちの歴史や経験はまったく別物だ。たとえば、1960年代から70年代にかけて、白人の女性たちが求めていたのは、これ以上妊娠しないようにするために「卵管結紮(らんかんけっさつ)」と呼ばれる不妊手術を受ける権利だった。白人女性に対して、医師たちは年齢が高くすでに何人もの子どもがいる場合でなければ、この手術をやりたがらなかったためだ。

ところが同じ頃、多くの病院では、有色や先住民族の女性たちに強制的に不妊手術を受けさせるプログラムを実施していた。先住民族の女性団体「ウィミン・オブ・オール・レッド・ネーションズ」によると、アメリカの一部の保護区では不妊手術率が8割にも達していたという。また、アフリカ系アメリカ人やメキシコ系、プエルトリコ系の女性たちも不妊手術キャンペーンの対象だった(障がいをもつ女性たちもこの種の虐待を受けていたし、現在も同様の扱いを受けている――詳細は137ページ)。1968年までに、プエルトリコ系の3分の1が不妊手術を受けていた。つまり白人が不妊手術を受ける権利を求めていたのに対して、有色の女性たちは不妊手術を拒否する権利を求めていたことになる。残念ながら、白人のフェミニスト組織や主流派のプロチョイス[*15]団体は、有色の女性たち特有のこうした経験や視点を見落としがちだった。

*15 中絶を選択できる権利を擁護する立場の人々。

NO!
YES!

CHAPTER TWO
第2章

中絶を求める闘い

境をはさんだカナダとアメリカで女性たちは変革を求めて闘ってきましたが、中絶の権利と現に中絶が受けられること、それに関する世論について両国の歴史的経緯は違い、それぞれ別の挑戦が行われてきました。

アメリカにおける合法的な中絶を求める闘い

アメリカでは、中絶禁止法を変えようとする動きはさまざまなグループから生まれてきました。女性たち、医師たち、聖職者たちのすべてが重要な役割を担っていました。これら3グループはいずれも公の場で主張したり変革を求めて闘ったりするのと同時に、女性たちがより安全に中絶を受けられるよう地下活動も行いました。

・中絶に関する聖職者の相談窓口

1967年、ニューヨーク市の教会でバプテスト派の牧師だったハワード・ムーディは、プロテスタントとユダヤ教の宗教指導者を束ねたグループで、安全な中絶のためのカウンセリングと紹介サービスを始めると発表しました。この「聖職者相談サービス（CCS）」

CCSの創設者ハワード・ムーディ、1967年、ニューヨークのグリニッジ・ビレッジのジャドソン記念聖堂の前で。

は1973年までに約1400人の聖職者が加入するほどに成長し、何十万人もの女性たちに安全な——たいてい非合法の——中絶を受けさせる手助けをしました。関わった聖職者の多くは公民権運動で活動していた人々で、中絶を規制することは裕福な女性や白人女性以上に、貧しい女性や有色の女性たちにはるかに大きな影響があるのを知っていました。また自分たちの運動と女性たちが安全な中絶にたどり着けるための支援には、関連があるとも見ていたのです。

1967年から1973年にかけて14州が法律を変え、妊娠が生命を脅かす場合など、一定の条件に当てはまる場合は中絶を利用できるようにしました。それは「**治療的中絶**」と呼ばれました。でもこれが実際に意味していたのは、お金とコネのある女性なら生命に危機があるとの名目で——お金と引き換えに——合法的な中絶に協力してくれる医師が見つかるかもしれないということでした。ハワード・ムーディと同僚のアーリン・カーメンはこの新法に不満で、著書『中絶カウンセリングと社会的変化』で、「治療的とは、金持ちと貧乏人、白人と黒人、特権をもつ者と疎外された者、既婚者と独身者を隔てる言葉にすぎない」と訴えました。

1975年ごろのアーリン・カーメン(左)とハワード・ムーディ(右)。二人の間にいるアル・カーマインズはジャドソン記念聖堂の牧師で、実験劇場の活動で名を知られる人物。

CCSの努力にもかかわらず、中絶費用——と中絶を受けに行く旅費——は大きな障壁として立ちはだかっていました。毎年何千人もの女性がなおも死亡していて、そのほとんどは有色の貧しい女性たちでした。そこで1970年、ニューヨーク州が中絶を合法化したときに、CCSは医師や行政官と提携して、安全な環境で手頃な料金で中絶を受けられる中絶クリニックを開くことにしたのです。

1968年3月、ニューヨーク市のロックフェラー・センター前で中絶合法化の抗議活動を行う「ペアレンツ・エイド・ソサエティ」(アクティビストのビル・ベアードが創設)と「ニューヨーク・ラディカル・ウィミン」のグループのメンバーたち。

・フェミニストのグループ

アメリカ全土でフェミニストのアクティビストたちが性と生殖の自由(リプロダクティブ・フリーダム)を求めて闘い、法改正を叫びました。レッドストッキングスなどの女性グループは、非合法の中絶を受けたり、妊娠継続を余儀なくされたりした経験を共有するために、公開の「スピークアウト[*1]」を行いました。1969年3月21日にニューヨークのウェストビレッジで開かれたレッドストッキングスの最初のスピークアウトには、数百人が参加しました。その後、全米の他の都市でも続々と中絶体験のスピークアウトが行われるようになりました。

同年、ニューヨーク州議会が男性の専門家たちに助言を求めたとき、女性たちは公聴会に乗り込んで、話を聞いてほしいと訴えました。「私たちこそ真の専門家、唯一の専門家です。中絶を経験した当事者は私たちです」とある若い女性は立法委員会に訴えました。その結果、ゆっくりですが着実に変化が起こり始めました。ニュー

*1 (言いにくいことを)公然と表明する活動

ヨーク州とハワイ州が中絶を合法化した後、ワシントンDC、アラスカ州、ワシントン州がそれに続き、旅費をまかなえるだけの余裕のあるアメリカ人は、合法的な中絶を受けられるようになったのです。それでも大勢にとって、中絶のために国の端から端まで飛ぶことは不可能だったし、非合法の中絶の費用はまだ高額でした。フェミニストの組織は、実質的な支援と貸付金を提供しようと動き始めました。違法でもより安全な中絶を受けられるようにするために、アメリカ全土にわたって数多くの女性グループが組織されるようになりました。

そんなグループの一つ「女性解放組合中絶カウンセリングサービス」は、ほどなく「ジェーン・コレクティブ」、または「ジェーン」というコードネームで知られていきました。1969年から1973年の間に、100人を超えるシカゴの女性たちがジェーン・コレクティブに参加しました。メンバーは看板を作り、女性の目に留まるようなところに掲示しました。「妊娠？　困ってる？　ジェーンに電話して」。メンバーはカウンセリングを行い、情報を提供し、手術費用を払うためのお金も貸しました。

PREGNANT?
DON'T WANT
TO BE?
CALL JANE AT
643-3844

妊娠?　困ってる?
ジェーンに電話して　643-3844

「ジェーン」として知られるようになった中絶カウンセリング・サービスの新聞広告

ところが医師の多くは莫大な料金を請求してきたのです。しかも十分な技術をもたない医師や、患者に対して無礼な医師も交じっていました。ある医師はいつも酔っぱらっていて、中絶と引き換えにセックスまで要求してきました。紹介先の施術者が医学の訓練を受けていないことが判明したとき、ジェーンのメンバーたちは自分たちで中絶のやり方を学ぶことを決意しました。彼女たちは約1万1000件もの中絶を手掛けました――しかも、現代の中絶クリニッ

JANE（ジェーン）

RACHEL WILSON
ALLY SHWED

作: レイチェル·ウィルソン、アリー·シュウェド

1970年代後半から、ジュディス·アーカナは何百人もの女性たちとともに活動し、フェミニズムからタトゥーを入れることまで何でも話し合ってきました……。

公式にはシカゴの「女性解放組合中絶カウンセリングサービス」として知られていた「ジェーン」は、最初はただの紹介サービスでした。

しかしほどなくジェーンは自分たちで中絶を行う方法を身につけたフェミニスト·グループになりました。

彼女たちは推定1万1000件の中絶を行って、1973年に活動を終了しました。「ロウ対ウェイド」判決が出て、全米で中絶が合法化されたからです。

中絶を受けようとする女性たちの理由はさまざまです。
ジェーンは決してどんな理由があるのかをたずねず——ただ彼女が本当に
中絶を望んでいるのか、家族やパートナーに強制されていないかだけを確かめました。

クに引けを取らないほど安全だったそうです。

• プロチョイスの医師たち

この時代の医師たちは苦渋の選択を強いられていました。中絶に手を貸せばキャリアを危険にさらし、投獄される恐れもあった一方で、死に物狂いの患者たちに背を向けてしまえば、女性が命を落としたり負傷したりするシステムに加担することになるからです。なかには法を無視して中絶を行った医師もいました。やがて変革を求めて声を上げる医師たちも出てきました。

• アーヴィング・グッドマン

絶望的な様子の患者を前に断りきれなくなった場合など、多くの医師がひそかに非合法の中絶を行っていました。なかには法律には構わず、ふだんから中絶を行っていた医師もいました。その一人がアーヴィング・グッドマンです。1926年にロシア系ユダヤ人の移民の子として生まれた彼は、社会正義を固く信じる家庭で育ちました。アーヴィングには助けになりたいと思う個人的な理由もありました。彼と後に妻になった恋人がまだ10代だった1940年代に、彼女の妊娠が判明したのです。非合法の中絶をしてくれるところは見つかったものの、二人にとってそれはひどく恐ろしい経験になりました。恋人は滅菌されていない器具のために深刻な感染症にかかり、救命手術を受けるはめになったのです。その上、アーヴィング自身の母親も、非合法の中絶で母を失い12歳で孤児になった人でした。だから中絶の権利のために闘ってきた他の大勢の人々と同様に、彼もまた不平等さに対する怒りに駆られていたのです。「これは間違いなく政治的な話なんです……金持ちならば（中絶を）受けられたのに。まったくもって腹立たしい。金さえ十分にあれば、忌々しいあいつを受けられるだなんて」

「私たちジェーンのメンバーは、女性が求めていることに沿って行動したからこそ、注目されたのです。ジェーンの活動は、違法の中絶というものを、危険で不愉快な経験から人生を肯定する力強い経験へと生まれ変わらせたのです。その過程で、私たち自身も生まれ変わりました」

ローラ・カプラン、『ジェーンの物語：伝説の地下フェミニスト中絶医療』より

• ジェーン・ホジスン

アメリカで非合法の中絶を行った医師は大勢いましたが、有罪宣告を受けたのはミネソタ州セントポールのジェーン・ホジスン一人です。産婦人科の女性医師だった彼女の元には、中絶を求める女性たちが殺到しました。1960年代に彼女はCCSと協力して女性たちを国外で中絶を行っている人々に紹介するようになり、中絶の制限をゆるめる州が出てきてからは、そうした州に送り出すようになりました。それでも、彼女は患者の多くが自らの命を危険にさらすような非合法の中絶を求めることを知っていたので、安全で合法的な中絶の必要性をますます声高に叫ぶようになったのです。「中絶は罪深いと私は教えられてきました……でもだんだんと、法のほうこそ罪深いと感じるようになったのです」と彼女は言います。「大勢の若い女性が健康を損ない、人生を台なしにさせられているのですから」

1989年のジェーン・ホジスン。

1970年、ジェーンは公然と法律に異議を唱えようと決意しました。彼女は中絶を希望していたナンシー・ウィドマイヤーという妊婦に相談しました。ナンシーは20代で3人の子どものいた既婚女性で、胎児に障がいを引き起こすことが知られている風疹（3日はしか）の診断を受けていました。ジェーン・ホジスンが法廷に訴えることにナンシーは協力してくれました。ミネソタの連邦裁判所に中絶禁止法の**撤廃**を要請してから――要請は拒否されましたが――ジェーンは自分の働いていた病院でナンシーの中絶を手配して、手術を行いました。警察はすぐさま彼女を逮捕しました。ジェーンは有罪判決を受けましたが、のちに判決は撤回され、声高なアクティビストとして女性のリプロダクティブ・フリーダムを求める運動に身を捧げ続けたのです。

全米で非合法の中絶時代を終わらせた1973年、最高裁の「ロウ対ウェイド」判決の直前に行われた中絶の権利を求めるデモ。

•「ロウ対ウェイド」判決

1973年、アメリカの最高裁は「ロウ対ウェイド」判決または「ロウ」判決として知られる有名な判決によって既存のすべての中絶禁止法を無効にしました。「ロウ」とは、21歳の妊娠中の女性ノーマ・マコービーの名を隠すために裁判所が使用した偽名ジェーン・ロウのことで、この裁判は中絶を望んでいながら合法的かつ安全な中絶を受けられなかったすべての女性を代表する集団訴訟として行われました。「ウェイド」とは、中絶を犯罪としている法律を擁護したテキサス州の司法長官ヘンリー・ウェイドの名前です。この最高裁判決は、アメリカ国民のプライバシー権には、子どもをもつかどうかを決める女性の権利と、国家の干渉を受けることなくその決定を行う女性と医師の権利が含まれているとの判断を下しました。

1989年、最高裁前の階段に立つノーマ・マコービー（ジェーン・ロウ）と弁護士のグロリア・アルレッド。

これは画期的な判決で、女性たちにとって大きな勝利でした。変革を求めて闘ってきた人々は歓喜の声を上げました。ところが闘いはまだ終わりではなかったのです。「ロウ対ウェイド」判決以降も、病院で中絶を受けられるようになるまでには時間がかかり、この判決では、事実上、若く貧しい女性にとっては特に中絶を受けにくくするような制約を州が課すことを認めていたのです。さらに、「ロウ対ウェイド」判決が出たとたんに、攻撃的で**狂信的な**反中絶運動が組織されました —— これについては第3章で詳しく紹介します。

選択を求める闘い〜カナダ

オンタリオ州トロントの地下鉄の駅での抗議活動。ポスターはピエール・トルドー首相（当時）に向けたメッセージ。

1960年代から70年代にかけて、カナダのアクティビストたちも変革を求めて闘っていました。非合法の中絶は広く行われ、安全でないこともよくありました。1926年から1947年の間に、何千人ものカナダ人女性が腕の悪い施術者による非合法の中絶で亡くなりました。1960年代までに、毎年3万5000件から12万件ものヤミ堕胎が行われたのです。1963年にカナダ医師会は、中絶禁止法の改正を求めて政府に対するロビー活動を開始しました。女性団体や社会正義を求めるグループも、法改正を主張し始めました。さらに、一部の医師たちは起訴されるリスクをものともせず、すでに中絶を行い始めていたのです。

1967年、ピエール・トルドー法務大臣（当時）は、一定の条件下での中絶を認める法案を提出しました。この法案には、避妊を合法化し、同性愛を**脱犯罪化**する内容も含まれていました。この法案は後にC150法案として可決され、1969年に法律になりました。カナダで初めて中絶が違法にされてから100年後のことでした。

この法律は、中絶を行っても訴えられなくなったという意味で医師たちにとっては救いでしたが、女性にとってはあまり救いにはなりませんでした。合法的な中絶は病院でしか行えず、3人の医師の許可が必要だったからです。大都市の病院は治療的中絶委員会（TAC）を設置して、その妊娠が女性の生命や健康を危険にさらすと委員たちが判断した場合に限って中絶を許可しました。ところが、大都市以外のほとんどの病院はTACを設置しなかったので、大都

1969年の秋、19歳の私は望まない子どもを妊娠しました。私が住んでいたカナダでは中絶が合法化されたばかりで、医師のところに行けば妊娠は簡単かつ安全に終わらせてもらえるものだと思い込んでいたのですが、違いました。その男性医師は私に、地元の病院の医師の審査会は君に合法的中絶を許してくれないだろうと言って、私の依頼をはねつけたのです。私は若くて健康だったし、レイプされた結果でもなかったので、産んで最善を尽くせというのです。医師は、非合法の中絶などしたら不妊になるか、気が触れてしまうかもしれないぞとも言いました。不妊になる危険があろうとも、気が触れてしまおうとも、私はかまわなかった。私は怒って診察室を飛び出し、二度とそこには戻りませんでした。幸い、上司の知り合いがフェリーで行けるバンクーバーで中絶をしている人を紹介してくれたのです。料金は500ドルで、恋人が都合してくれました。

中絶は医師の診察室で非合法的に行われました。手術は手早く、医師も看護師もいかにもプロで親切でした。アフターケアについて教わり、裏口から細い小道に出ました。感染症にはかかったけれど、数年後に妊娠し、待望の子どもを産めました。気が触れることだってなかったし。

私の中絶を担当した医師の名前は思いだせないけど、私が訪ねてからほどなく逮捕されたそうです。それから何年も経った今でも、あの医師が私や他の多くの女性にしてくれたことをどれだけ敬っているか、どれだけ感謝しているかを伝えたいと思っています。

——作家兼編集者、サラ・ハービー

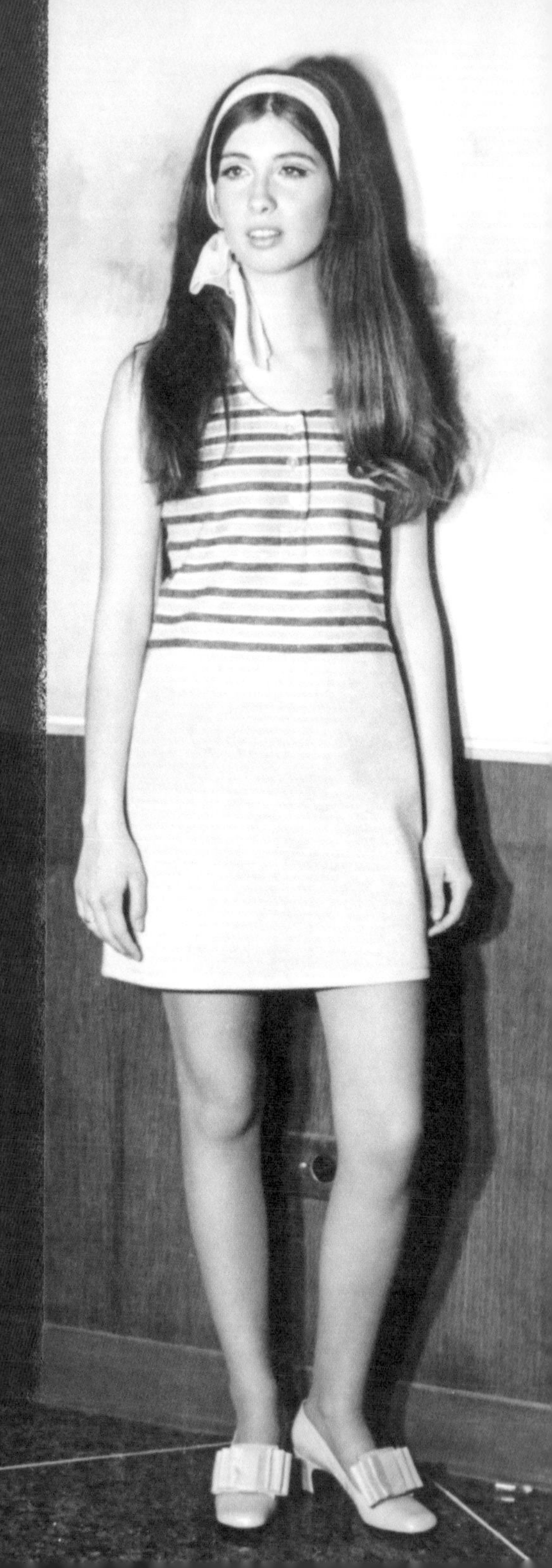

市以外で暮らす女性たちは中絶を受けられなかったのです。またTACが設置されている病院でも、中絶を許可するのに2カ月もかかることがあったので、もはや中絶を受けられない時期に突入してしまうこともよくありました。また、すべての申請について許可するTACもあれば、ほとんど許可しないTACもあったのです。一部の都市では、**アンチチョイス派**[*2]のグループが病院の理事会を支配して、アンチチョイス派の医師をTACに送り込むようになりました。

• ヘンリー・モーゲンテラー医師

この新しい法律を嫌悪した医師の一人が、ポーランド生まれのカナダ人で、第二次世界大戦中に強制収容所に収監されたホロコーストの生き残りでもあるヘンリー・モーゲンテラーでした。彼はモントリオールの医学部を卒業し、ファミリードクターとして働いていました。モーゲンテラーが、女性たちが安全で合法的な中絶を受けられるようにすべきだとの信念を公言したことで、彼の元には無数の救いを求める声が届くようになりました。当初、彼は職を失う恐れがあるからと言って、女性たちの頼みを断っていたのですが、しばらくして、モントリオールの女性たちが安全でない中絶で次々と死んでいることに気づいた彼は、それ以上彼女たちを追い返せなくなったのです。1968年、モーゲンテラーは**市民的不服従**の行為として、非合法の中絶を手掛けるようになりました。その5年後、彼はTACの承認を受けることなく病院外で5000件の中絶を行ったことを公表しました。さらに彼はテレビ局の人間を招いて自分が中絶を行っているところを撮影させ、その映像は全国のテレビに流れました。

モーゲンテラーは3度も逮捕され、ケベック州の地方裁判所で裁判にかけられました。モーゲンテラーは裁判の答弁で、自分を頼ってきた女性たちの命を守る義務は、法に従う義務よりも優先される

---

*2　中絶の権利を認める立場から反中絶派を呼ぶ表現。中絶の選択の権利を認めないのは不当という否定的ニュアンス。

1976年2月にオンタリオ州オタワで開かれた記者会見で話をするヘンリー・モーゲンテラー医師。

と主張しました。患者だった幾人もの女性たちが、彼を弁護する証言をしてくれました。どの裁判でも、陪審員は彼を無罪にしました。陪審員たちは、モーゲンテラーが中絶を行ったことを承知していながら、自分たちも不当だと感じている法律を執行することを拒んだのです。

裁判官たちは、陪審員が反乱を起こし、法の執行を拒んでいることに激怒しました。そこで3度目の無罪評決が出た後、ケベック州の地方裁判所は陪審員の決定を不服として上訴し、5人の裁判官によって無罪評決をくつがえし、ついに有罪判決を言い渡したのです。モーゲンテラーは18カ月間の実刑に処せられることになりました。服役を開始したのは1975年3月でした。モーゲンテラーがまだ刑務所にいる間に、州はまたしても別件で彼を提訴し、前とは違う陪審員によって再び無罪評決が下されました。それでもモーゲンテラーはまだ刑務所を出られませんでした。当時の風刺漫画には、刑務所の看守がモーゲンテラーの独房に食事トレイを押し込みながら、「おめでとうございます、先生、また無罪になりましたね！」

と言っている姿が描かれていました。
市民の権利を守ろうとする人々は反撃に出ました。モーゲンテラー修正条項と呼ばれる新たな連邦法が可決されたのです。この連邦法は裁判所が陪審員の評決を取り消すことを禁止するものでした。政府はモーゲンテラーに対する冤罪を認め、再審を命じました——その結果、モーゲンテラーは再び無罪になりましたが、そのときまでに彼はすでに10カ月間も刑務所で過ごしていたのです。独房に監禁されている間にモーゲンテラーは心臓発作を起こし、法廷闘争のために相当な借金も負っていました。それでも、彼は決してあきらめませんでした。ヘンリー・モーゲンテラーにとって、これはまだ始まりにすぎなかったのです。

• 中絶キャラバン

ヘンリー・モーゲンテラーが法廷で闘っている間、カナダ全土のフェミニスト・アクティビストたちは、中絶権運動を通じて世論を揺さぶり、政府に圧力をかけていました。1970年の春、ブリティッシュコロンビア州のバンクーバーから、黄色いオールズモビルのオープンカーとフォルクスワーゲンのバス、ピックアップトラックに分乗した女性たちの小グループが出発しました。彼女たちは車で国中を駆け回り、女性たちを集め、メディアの注目も集めました。
この企画を実行した女性たちは「バンクーバー女性部会」と自ら名乗り、中絶の問題を国家的課題にすることを決意していました。彼女たちはカナダ全土の女性解放グループと連携して、各地でイベントや集会を開きました。この中絶キャラバンは、ブリティッシュコロンビア州、アルバータ州、サスカチュワン州、マニトバ州、オンタリオ州とめぐりながらますます勢いを増していきました。
［首都の］オタワでは、「彼女たちが来る。中絶キャラバン、5月9日、午後1時0分。国会議事堂前」の横断幕が掲げられました。主催者の一人は、オタワ女性解放グループの一員であるジャッキー・ラーキンという若い女性でした。「中絶キャラバンは、長く埋もれてき

1970年、中絶キャラバンの女性たちはオンタリオ州オタワに赴いて首相官邸で合法的な抗議活動を行い、官邸の玄関前に棺を運び、下院を閉鎖に追い込んだ。彼女たちは国会議事堂の前で拳を突き上げ、「オンデマンドの無料の中絶」を訴えた。

た女性たちの歴史の水脈に触れたのです」とジャッキーは語ります。「この国のどこへ行っても、非合法の中絶を経験し、それを恥じている女性たちがいました。だからキャラバンが来ると聞きつけると、彼女たちがやってきて経験を話してくれたのです。自分の中絶の経験について初めて話す人も少なくありませんでした」

ついに中絶キャラバンはオタワに到着し、5月9日土曜日に約650人の女性と50人の男性が国会議事堂まで行進しました。行進の先頭で6人の女性が担いでいた黒い棺は、非合法の中絶で毎年亡くなっている推定2000人の女性の死を意味していました。棺のてっぺんには、自ら妊娠を終わらせようと試みて命を失った女性たちの象徴としてコートハンガー*3が置かれていました。

ところが、首相をはじめ、法務大臣、保健大臣もことごとく女性たちとの会見を拒絶したのです。「私たちは怒りに震えました。もっと関心を払われるべきだと思っていたので」と、ジャッキーは追想します。「だから議事堂を立ち去ろうと外に出たとき——来た道を引き返すのではなく、サセックス・ドライブに曲がって首相官

*3　北アメリカでしばしば非合法の中絶に使われた針金製のハンガーのこと。

邸まで歩いて行ったんです。思ってもみなかったでしょうね！　なにしろ官邸の玄関先に棺を置いてきたんだから」

総勢150名の中絶キャラバンのデモ隊がピエール・トルドー首相［当時］の官邸前で座り込みをしても、政府高官たちはまだ話を聞こうとしませんでした。オタワ・シチズン紙には、「中絶嘆願の声は沈黙で迎えられた」との見出しが載りました。政府から何も反応がないことに不満を抱いた女性たちは、その夜、作戦会議を開き、月曜日に下院に入って、議会を混乱させることにしたのです。

スピークアウト

「私たちは、物事を変えることはできないし、変えようとするのは愚かなことだ、と考えるように教えられています。でも……ごく普通の女性たちが、自分たちの可能性を狭めてくる世界に対して立ち上がることを決意したのです」

——ジュディ・レビック、『1万本のバラ：フェミニスト革命の作り方』より

ジャッキーは当時を振り返ります。「同情してくれたスタッフが傍聴席に入る通行証をくれたのだけど、私たちは服を探さなくちゃならなかった——デモ隊の格好では狙いが見え見えでしょ！　だから、みんなでロッカーを漁って、議会の中に入れるように、身に着けるためのスカートやストッキングを物色して、持ち込んだチェーンや手錠を隠すための手袋まで探し出してね。みんなでいい服を着て、互いに知らないふりをして、傍聴席のあちこちにばらばらに座って、チェーンで身体を椅子に縛り付けて、引っ張り出されないようにしたんです。そして3時きっかりに叫び始めた。『オンデマンドの無料の中絶を！』とね。一人が音頭を取って、残りの女性たちも徐々に声を合わせていったんです。頭上のマイクが私たちの声を拾ったものだから、議会は続けられなくなりました——前代未聞の議場閉鎖になったのです」

警備員がペンチやのこぎりを手になだれ込み、抗議の声を上げる女性たちを廊下の端まで引きずっていって脇の戸口から放り出しました。［マニトバ州都の］ウィニペグから来たリン・ギブソンは、建物から放り出された直後に記者に語りました。「やぶ医者に殺されて

「中絶は根本的な権利です。限りなく深い根本の根本。
子どもを産むか産まないかを選択できる力を
自分で握っていなければ、何ごとも自分の好きにはできません」

――フェミニスト、社会的正義を求めるアクティビスト、ジャッキー・ラーキン

「この子宮は政府の
所有物ではありません」

いる女性たちのこと、現行法のために死にゆく女性たちがいることに、誰も関心がないんです」

しかし、無関心は変わろうとしていました。キャラバンの女性たちは国民の関心を引くことに成功したのです。翌日、カナダ中の新聞は女性たちのアクションと、その理由を報じました。中絶の権利はまさに国家的課題となり、メディアの大半は好意的だったのです。カルガリー・ヘラルド紙の社説は次のように論じました。「私たちは自由を支持する。女性が自らの身体をどうするかを自分で決定する自由や、子どもをこの世に送り出すかどうかを決める自由もそこには含まれるのである」

中絶キャラバンは、今でもカナダの歴史の中で市民的不服従の最たる例の一つだと言われています。

• 運動を起こし、闘いに勝つ

中絶キャラバンの成功と中絶の権利を支持する世論が高まる一方で、女性たちは中絶するためにまだTACから許可を得る必要がありました――そのために、安全で合法的な中絶を受けられない女性たちも大勢いたのです。そこで1974年には「中絶禁止法の廃止を求めるカナダ協会(CARAL)」が、1982年にはトロントの医療従事者によって「中絶クリニックを支持するオンタリオ連合(OCAC)」が結成されました。

CARALとOCACは、ケベック州でヘンリー・モーゲンテラーが行ったことを自分たちも実現しようと決意しました。非合法のクリニックを設立し、法廷闘争を行うことで状況を打開する道を選んだのです。フェミニスト・アクティビストのジュディ・レビックは最初の企画会議のときから出席し、クリニックのスポークスパーソンとして中心的な役割を担いました。

1983年5月、ヘンリー・モーゲンテラーは、ウィニペグにクリニックを開設しました。その1カ月後、クリニックは警察に家宅捜索されて、モーゲンテラー医師を含む8人が逮捕されました。翌月、

スピークアウト

「私たちは政府や警察、裁判所と闘いました……でも、陪審員は私たちの味方でした。市民は私たちの側にいたのです。メディアも私たちの味方でした。人々は私を認めてくれました。地下鉄の乗客たちは、モーゲンテラーの弁護団のために寄付してくれました。私たちは大きな集会を開き、あちこちで支持者の輪を広げていきました。私たちはまさに運動を起こしたのです……しかも、運動はどんどん大きくなっていきました」

——フェミニスト・アクティビスト、ジュディ・レビック

モーゲンテラーは、OCACとCARALの助けを借りて、今度はトロントに非合法の中絶クリニックを設立しました。ところが、このクリニックが正式にオープンする日、モーゲンテラーが連れと共にタクシーから降りたとたん、見知らぬ男が植木ばさみを手に彼に襲いかかってきたのです。「私は思わず飛び込んで男を引き離しました」とジュディ・レビックは語ります。「なぜそんなことをしたのかって？　まあ、私は闘士ですしね……反射的にやり返したんです」。幸い、ヘンリー・モーゲンテラーとジュディ・レビックのどちらにもけがはありませんでした。

トロントのクリニックの開設からわずか3週間後、モーゲンテラー医師と2名の医師——ロバート・スコットとレスリー・スモリング——は政府から中絶禁止法違反の嫌疑をかけられました。警察に医療機器と書類を押収されたものの、クリニックのスタッフたちは公然と当局に逆らい、わずか数分後にクリニックを再開しました。それはモーゲンテラーにとって、またしても長い法廷闘争の始まりとなったのです。

翌年、3人の医師全員が陪審員裁判で無罪評決を受けました。「たとえ当人が中絶したことを認めていようと、法を破ったと認めていようとも、法が不当だと思うならヘンリーを無罪にして構わないのだと弁護士は陪審員に助言したのです」とジュディ・レビックは説明します。「弁護士はとても大胆でした。彼は法の理念そのものに従ったのです」

1985年にオンタリオ州控訴裁判所は、モーゲンテラーの弁護士

1985年1月、オンタリオ州トロントの地方裁判所の前に立つジュディ・レビックとヘンリー・モーゲンテラー医師。

が法律を無視するように陪審員をそそのかしたと主張して審議のやり直しを命じました。モーゲンテラー医師はカナダの最高裁判所に上告しました。ところが最高裁の判決を待っていた1986年9月24日に、モーゲンテラーはニッキー・コロドニーとロバート・スコットという2名の中絶医と共に再逮捕されたのです。くり返される逮捕や嫌がらせ——クリニックと同じ建物に店を構えていたウィミンズ・ブックストアへの放火事件まであったのです——にも負けず、モーゲンテラーたちは何千人もの女性に安全な中絶を行い続けました。

ついに1988年、中絶キャラバンから18年後にカナダの最高裁は判決を下しました。最高裁は、カナダの中絶禁止法は生命、自由、人の安全の権利を保障している「権利及び自由に関するカナダ憲章」に違反しているとして違憲判決を下したのです。

ジュディ・レビックは、その日のことを鮮明に覚えています。「判決が出た日、私はクリニックの前にいました。その頃はスポー

スピークアウト

「情熱のあまり避妊を忘れたために、私は1988年2月に中絶しました。子どもはほしくなかったので、難しい決断ではありませんでした。幸いにも委員会で証言する必要はなく、旧来の『治療的中絶』を認めてもらいました。でも、バンクーバー総合病院で、申請書に次々と『許可』のゴムスタンプが押されていくのを見たときに、**自分が許可を受けなければならないことが信じられなくて**……**ショックで、怒りを覚えました**。3週間も具合が悪くみじめな思いで待たされたけど……中絶が終わったらとてもハッピーな気分だったし、普通の生活を取り戻せて、ものすごくほっとしたものです」

――カナダ中絶権連合エグゼクティブ・ディレクター、ジョイス・アーサー

クスパーソンをやめていたので、テレビに出るような格好ではなかったのに、記者たちが『どんな気持ちですか』と迫ってくるから、私は飛び上がって『サイッコーの気分！』と叫びました。その瞬間、かつてないほどの喜びが湧きあがってきたのです。闘いに勝った喜び――まさに本物の闘いでした。暴力も、脅迫もあったし、男に地下鉄のホームから突き落とされそうになったし。それは本物の闘い、本物の勝利だった。そのために私たちはがんばり闘い抜いたのです。しかも、決して容易な闘いではなかったのです」

それでも、これで終わりではありませんでした――まだ先に闘いは残されていたのです。1990年、政府は多くの中絶を再び犯罪化する法案を提出しました――下院で可決されたものの、上院では僅差で否決されました。また、中絶費用の公費負担が制限されたために、一部の地域では今も中絶を受けにくくなっています。それでも、最高裁の判決はとてつもない勝利だったし、今でも影響力は続いています。

現在、カナダには中絶を制限する法律は一つもありません。アクティビストのジョイス・アーサーは、「法なんかなくても私たちはうまくやっている」と語ります。「法律で縛られなくたって、医師も、女性も、責任をもって中絶権を行使しているんです。**妊娠週数の期限**もいらない。待機期間もいらない。親や配偶者の同意を求める法もいらない。一部の中絶に制限をかける必要もないのです」

カナダで行われた中絶の権利を求める活動で、マイクの前に立つアクティビストのジョイス·アーサー。抗議者たちが着ている侍女の衣装は、女性がすべての権利を剥奪され、子どもを産むことを強制される世界を描いたマーガレット·アトウッドの小説『侍女の物語』にちなんでいる。侍女の衣装は北米全域の抗議活動で使われている。

カナダ中絶権連合

カナダにおいて委員会の判断で治療的中絶が認められた時代に中絶を経験したジョイス・アーサーは、その約6カ月後に、バンクーバー・アート・ギャラリーで行われた中絶の選択権を支持するプロチョイスの大会に参加した。恥ずかしさと不安を感じながらも、ジョイスはこのイベントを主催した団体「BC中絶クリニック連合」のボランティアになった。数年後、彼女はグループのリーダーになっていた。2005年、CARALが活動を終了した後、ジョイスは全国の擁護者の支援と参加を得て、「カナダ中絶権連合（ARCC）」を設立した。

現在、ジョイスはARCCの理事として性と生殖の健康に関するサービス、特に中絶へのアクセスを保護・改善するために活動を行っている。「中絶の権利はまさに人権の基盤なのです」とジョイスは語る。「妊娠を自己管理できなければ、自分の人生や身体を自分の思い通りにすることもできなくなるからです。子どもを産む時期や産むかどうかを自分で決められなければ、それ以外の権利を十分に行使することも不可能になるのです」

PROTECT THE UNBORN
STOP
ABORTION NOW
CLINIC

CHAPTER THREE
第３章

攻撃される中絶

「ロウ対ウェイド」判決によって、アメリカ全域で中絶が合法化されたとたんに、中絶に反対する人々は、新たな法を無力化するための活動を開始しました。判決自体を直接攻撃する手段はもはやありません――最高裁より上位の裁判所はないので、上告はできなかったのです。そこで彼らは、中絶を受けにくくする働きかけを始めました。1973年以来、彼らは州政府へのロビー活動、反選択権派（アンチチョイス）の政治家への資金援助、法的闘争などの戦術を駆使しました。その結果、多くの州で中絶を制限する法律がいくつも可決されていったのです。

アンチチョイス派の活動員たちは、中絶に関するあからさまな嘘や誤情報を広める**プロパガンダ**作戦も展開しました。嫌がらせや暴力などに訴える人々も出てきました。「生命尊重派（プロライフ）」と名乗っていながら、彼らは望まない妊娠に直面している人々の人生（ライフ）は尊重していません。実際、リプロダクティブ・ライツに対して最も激しい攻撃が行われてきた州ほど、女性や子どもたちの健康状態は劣悪で、家族の幸福（ウェルビーイング）を支えるような政策が最も手薄なのです。

カナダでも反中絶グループが結成され、1975年には中絶権に反対する100万筆以上の署名が議会に届けられました。合法的かつ平

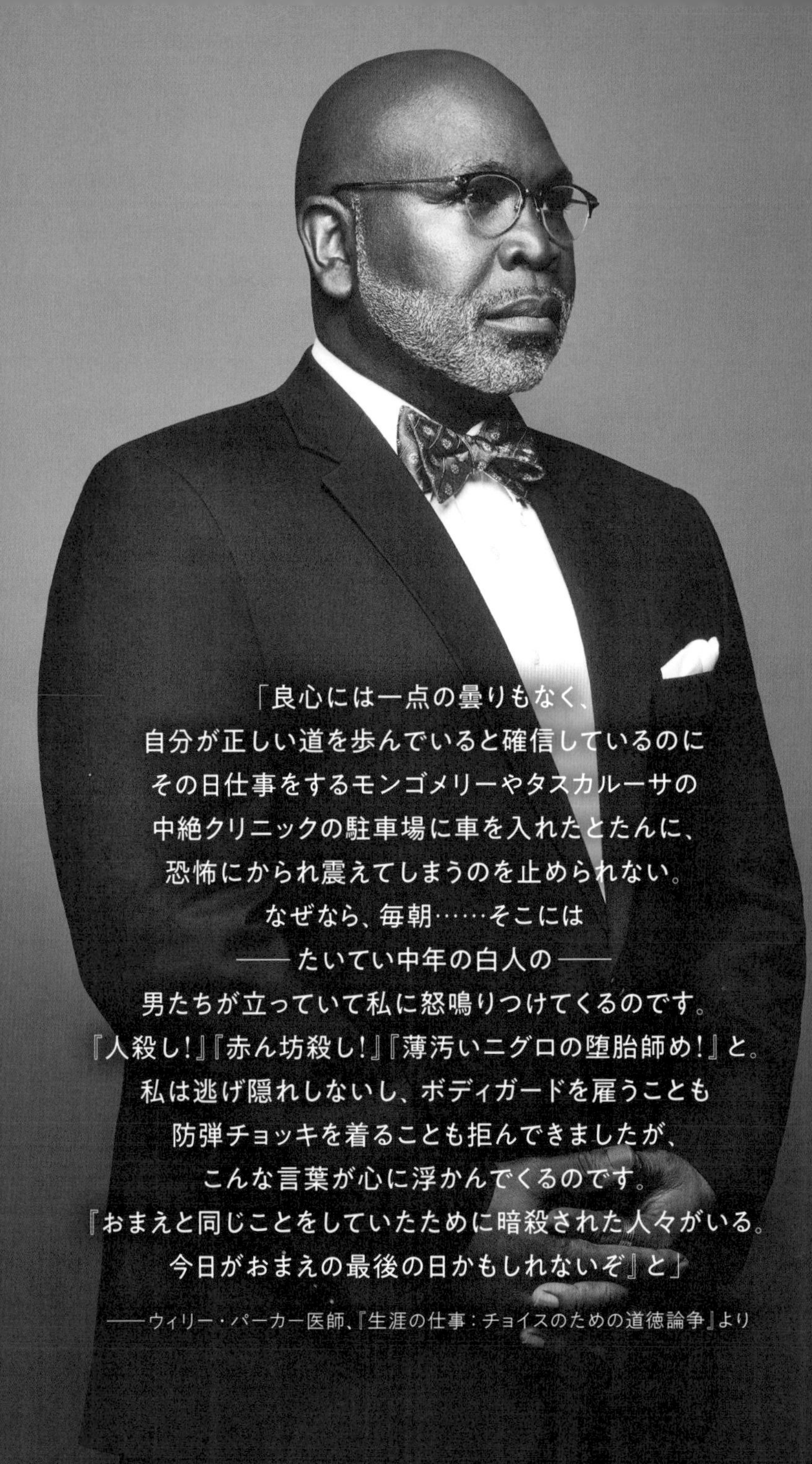
「良心には一点の曇りもなく、
自分が正しい道を歩んでいると確信しているのに
その日仕事をするモンゴメリーやタスカルーサの
中絶クリニックの駐車場に車を入れたとたんに、
恐怖にかられ震えてしまうのを止められない。
なぜなら、毎朝……そこには
——たいてい中年の白人の——
男たちが立っていて私に怒鳴りつけてくるのです。
『人殺し!』『赤ん坊殺し!』『薄汚いニグロの堕胎師め!』と。
私は逃げ隠れしないし、ボディガードを雇うことも
防弾チョッキを着ることも拒んできましたが、
こんな言葉が心に浮かんでくるのです。
『おまえと同じことをしていたために暗殺された人々がいる。
今日がおまえの最後の日かもしれないぞ』と」
——ウィリー・パーカー医師、『生涯の仕事：チョイスのための道徳論争』より

和的に意見表明する反中絶派も多い一方、敵対的な態度の人々もいます。カナダの反中絶グループの多くは、アメリカの大規模な運動をそっくりまねています。

スピークアウト

「中絶に反対しているグループは、保育所や福祉サービス、妊婦健診については何もしないし、手頃な価格で受けられる医療や出産ケアを削減しています。**彼らはまったく気にしていないのです―自分たちの活動は何一つ女性や赤ん坊の命を守ることにつながっていないというのに**」

――フランソワーズ・ジラード、国際女性健康連合（IWHC）会長

暴力とハラスメント

1980年代になると反中絶運動はますます過激化し、中絶クリニックや中絶提供者[*1]たちを攻撃し始めました。クリニックの前でデモを行い、中絶を求めて来る女性に嫌がらせをし、中に入るのを妨害したのです。彼らは医師やスタッフも脅し、クリニックを襲って破壊しました。

反中絶グループは中絶を殺人と呼んで狂信的な活動をあおり、暴力のレベルはエスカレートしていきました。組織的にクリニックを爆破し、医師、看護師、スタッフを襲撃したのです。

1992年には、トロントのモーゲンテラー医師のクリニックが爆弾で破壊されました。翌年、フロリダ州の医師デヴィッド・ガンは、反中絶の過激派に殺害された最初の中絶医になりました。以後15年間に、医師や中絶クリニックで働くボランティア、受付、看護師などの多くが負傷したり、殺されたりしました。アメリカの反中絶過激派は国境を越え、カナダのブリティッシュコロンビア州、マニトバ州、オンタリオ州で3人の中絶医が各々の自宅で撃たれました。幸い3人は命を取り留めましたが、1998年には別の中絶医バーネット・スレピアンがニューヨーク州バッファローの自宅で射殺されました。この殺人事件で有罪判決を受けた犯人の男は、カナダで起こった別の銃撃事件でも起訴されていた人物で、他の複数の事件

＊1　中絶医療の提供者は医師とは限らない。

の首謀者だと見られています。2009年には、ジョージ・ティラー医師――1986年に自分のクリニックで起きた爆弾事件の生存者で、1993年には腕を撃たれました――が、カンザス州の教会で受付のボランティアをしていたときに反中絶過激派によって殺されました。

一連のできごとは、直接的な影響を受けた家族や周囲の人々ばかりか、暴力の恐怖にさらされるようになった中絶医たちや女性の健康と**リプロダクティブ・ジャスティス**に関心をもつすべての人々に衝撃を与えました。恐怖のために中絶をやめた若い医師もいましたが、仲間と組んで反撃にのりだす若者たちも出てきました。

・選択権を支持する医学生たち

学生団体の「選択権を支持する医学生たち（MSFC）」は1993年に発足しました。MSFCは、元々デヴィッド・ガン医師の殺人事件

ガーソン・ロマリス医師

第1章で紹介したカナダ人医師、ガーソン・ロマリスは、2度の殺人未遂事件を生き延びた。医師になって30年以上も経っていた1994年に、彼は自宅の窓越しに銃で撃たれた。傷は深く、あやうく死ぬところだった。約2年間のリハビリを経て、中絶手術などの仕事に戻れるようになった。その6年後、勤務先のクリニックに入ろうとして刃物で刺された。幸いにもそのときのけがは軽く、2カ月後、医療行為を再開した――ただし、中絶のみに専念することにした。彼は言う。「女性たちが安全な中絶を受けるのを助けていることを理由に、私を殺すべきだと考える人間がいることが、いまだに理解できません……テロリストの暴力のために私や家族の生活は何もかも変わってしまった。私たちの人生は永遠に変わってしまったのです」。それでも、中絶に対する考え方や女性の健康に対する取り組みは変わることなく、彼は中絶を行い続けた。2014年に、短い闘病生活の末に76歳で亡くなった。

「人間として扱わなければ、権利を剥奪するのは簡単です。議員候補者が『何らかの罰を受けるべきだ』と言い、選ばれた政治家が中絶を『殺人』と定義し、人々が私たちを人殺しと叫ぶとき、私たちの権利は剥奪されます。私を含め、中絶医療の提供者や中絶の体験談を語る人々は何千通もの脅迫状を受け取っています」

——「全米中絶基金ネットワーク」が実施するプログラム「私たちは証言する（ウィー・テスティファイ）」の創設者レネー・ブレイシー・シャーマン

を始めとする反中絶派の行動に対抗するために結成されたのですが、現在は中絶に必要な訓練を医学生に保障するための活動を行っています。中絶は最も一般的な医療処置の一つなのに、ほとんどの医学生は教えられていないという現状があるためです。

「医学部や地域の上層部には反中絶派が大勢いるんです」と、カナダ中絶権連合の代表ジョイス・アーサーは語ります。「中絶にまつわる沈黙と罪悪感を温存させたいのでしょうね」。未来の医師たちに中絶や避妊を教えなければ、患者たちに医療サービスをフルで届けることができなくなります。MSFCには、世界中の210の医学部から1万人を超える学生が参加しています――学生主導で何千人もの未来の医師たちに中絶の教育と訓練が施されているのです。

「選択権を支持する医学生たち」は、25年以上にわたって未来の中絶を提供する人々とプロチョイスの医師を育てている。

• クリニックのエスコート

反中絶派の抗議活動のターゲットにされている中絶クリニックでは、中絶患者を支援し、守るためのボランティア組織が作られています。クリニック・エスコートと呼ばれる人々で、抗議者たちの行動に目を光らせ、法に反する動きがあれば声をかけています。一部の州や地方自治体では、抗議者たちの立ち入りを法律で禁じた「緩衝地帯」、「バブルゾーン」または「立ち入り禁止区域」を定めています。鮮やかな色のベストを着たエスコートたちは、そこでクリニックに来る女性たちを迎え、中に入るのを妨害されないように見張り、ときには威圧的で敵対的な態度を示す抗議者たちの間を縫って女性をクリニック内まで送り届けるのです。危険がつきまとう仕事です。エスコートに対する嫌がらせも暴力的な脅しもあります。実際、フロリダ州のあるクリニックでは、屋外でエスコートをしていたジェームズ・バレットが射殺されました。

「私は医学生のときに、自国［エクアドル］でリプロダクティブ・ライツを擁護する活動にかかわるようになりました。この権利が私にとって重要なのは、医師として自分のコミュニティの人々のリプロダクティブ・ヘルスを守るべきだと思うからです。**誰もが子どもを産むことを強制されるようなことがあってはなりません**」

——「プロジェクトと交流のための医学生協会（AEMPPI）」の元会長で、「セクシュアル&リプロダクティブ・ライツのための青年連合（YCSRR）」の中絶作業グループの共同議長であるデヴィッド・インバゴ・ジェイコム

「イリノイ州選択権行動チーム」に所属する中絶クリニックのエスコートたちは、非営利団体「クリニック・ベスト・プロジェクト」の理事でもある。同プロジェクトは、リプロダクティブ・ライツを擁護するアクティビストのベニータ・ウリサノが2013年に開始したクリニック・エスコート用のベストをアメリカ、カナダ、イギリスの団体に無料配布する活動を行っている。

アメリカにおける中絶の制限

「ロウ対ウェイド」判決の後で、いくつもの州政府が中絶を受けにくくしようと何十回もアメリカの最高裁に訴えましたが、最高裁はそうした試みをほぼ却下して、「ロウ」判決の枠組みを崩しませんでした。ところが最高裁は、若い女性や貧しい女性が中絶を受けにくくなる2つの重要な判例も作ってしまったのです。1979年に最高裁は、未成年者は親の同意を得ない場合、自分一人で選択できるほど成熟しているのを裁判官に証明してみせることを義務づける州法を認める判決を下しました［ベロッティ対ベアード判決］。1980年には、最高裁がハイド修正条項[*2]を支持したために、低所得者用医療扶助制度（メディケイド）[*3]に頼っている女性は中絶を受けづらくなりました。

ハイド修正条項は、「ロウ対ウェイド」判決のわずか3年後の1976年に初めて追加され、数々の法廷闘争にさらされてきまし

---

*2　連邦政府の資金を中絶に使うことを禁止した憲法の修正条項のこと。

*3　メディケイドは無料で低所得者用の医療扶助制度のこと。無料で、州ごとに内容が違う。メディケアは高齢者や障がい者が対象の国の健康保険制度。この2つの保険の対象外の人は民間の健康保険に入るしかない。

た。この条項によって、ごくまれな状況（たとえば、女性が生命の危険にさらされている場合）を除いて、連邦政府の資金を中絶費用に使うことは禁じられたのです。アメリカの各州は合衆国憲法に拘束されている他、各州それぞれの憲法にも拘束されています——つまり、連邦政府の公的医療扶助制度が中絶費用をカバーしていなくても、［全米50州のうち］16州ではリプロダクティブ・ライツを擁護するアクティビストのおかげで、州政府の資金で中絶費用がまかなわれる仕組みがあるのです。これらの州では、低所得者でも州のメディケイドによって中絶費用が補てんされます。ところが、そうでない州では中絶費用は保障の対象外になってしまいます。貧しい人々や中絶費用の出ない保険に入っている女性たちは、中絶のために何百ドルも苦労してかき集めるはめになるのです。家賃を払えなくなったり、食料を買えなくなったりする女性もいます。中絶を受けるのが遅れたり、そのまま出産に至ったりすることで、健康が危険にさらされることもあります。ハイド修正条項のために、40年間以上にわたり、何百万人ものアメリカ人女性にとって、中絶は手の届かな

2017年の国際女性デーに、リプロダクティブ・ライツへの支持を表明するワシントンDCのデモ参加者たち。

スピークアウト

最優秀の成績で大学を卒業し、第一志望の大学院の入学許可証を得ようとしていた22歳のとき、私は妊娠を知って、すぐに中絶したいと思いました。でも、**2度も予約を入れなければならないとわかって、すごくイライラしたのを覚えています。オハイオ州では2週間の待機期間が義務づけられていたので、その日のうちに中絶手術を受けられなかったのです**。予約日に家族計画連盟のセンターに行ってみると、センターの前に立っていた4人の白人男性が私に向かって怒鳴りつけてきました。恋人も、私をわがままだとののしって、機会があるたびに中絶を思いとどまらせようとしました。幸いなことに、私には味方になってくれる友人たちがいました。中絶を経験した人たちが「大丈夫だよ」と声をかけてくれて、そのとおりになりました。中絶を終えてセンターを出たとき、私は生まれて初めて自分に力があると感じたのです。

——カーシャ・デイベル、『ウィー・テスティファイ：私たちの中絶物語』より

いものになっています。2017年には、アメリカの下院でハイド修正条項を恒久化する法案[*4]が可決されそうになりました。

・待機期間の義務づけ

アメリカの多くの州は、中絶を受ける前の女性にカウンセリングを受けさせることと、その後3日間の待機期間を設けることを義務づけています。この義務のために女性たちはクリニックに2回通うことになるので、自宅から中絶施設が遠い女性たちはとりわけ困っています。仕事を2回休まなければならないし、子どもを2回預けなければなりません。交通費も2倍になります。中絶を受けるために必要な労力やコストがすべて2倍になってしまうのです。待機期間が義務づけられる医療なんて他にはありません。単に中絶を受けにくくさせるために、医学的には不要な義務が課せられているのです。

研究によって、待機期間を設けても中絶率は下がらず、中絶を受けにくくなるだけであるのは明らかにされています。中絶を求める女性の大多数は、クリニックに予約した時点ですでに決意を固めて

*4　2017年に下院を通過したが、上院では採決されず廃案になった。

いるので待機期間は精神的なストレスを与えるばかりです。また待機要件は中絶のタイミングを遅らせることがあります——2倍かかる交通費をすぐに調達できない人もいるためです。結果的に、より妊娠週数の遅い中絶が増えてしまいます。中絶はとても安全な処置ですが、妊娠週数が進めば合併症のリスクは高まります。そうなると処置の費用も上がり、貧しい女性たちの苦悩は増すばかりです。中絶費用を工面するのに時間がかかればかかるほど、中絶を行うタイミングも遅れ、費用はさらにかさんでしまうからです。

どのような形で中絶を受けにくくしても、貧しい女性たちを苦しめることになります。すでに**疎外されている**人々——有色の女性や障がいをもつ女性など——が、最も被害をこうむるのです。

• 親の同意や通知に関する法律

10代の妊娠数は、避妊率が向上していくにつれ減少していきます。それでも、アメリカでは毎年40万人を超える10代の若者が妊娠しています。その大半が予定外の妊娠で、そのうちの3分の1近くが中絶に終わっています。ただし、法律で18歳未満の中絶は制限されることがあるので、10代の若者たちにとって中絶を受けるのが難しくなることがあります。アメリカの大多数の州では、未成年者が中絶する場合、親の片方または両方の同意を求めるか、中絶が行われる前に両親に通知することを定めています。

実際には、中絶を受ける10代のほとんどが両親に知らせることを選んでいます——特に、若ければ若いほど、中絶の決断について少なくともどちらかの親には相談しているのです。親に話せない10代の若者は、信頼している別の大人に相談しています。一方、10代の若者が両親に話したがらない場合には、それ相応の理由があることが複数の研究で明らかにされています。身体的な暴力にさらされたり家を追い出されたりする恐れがある場合、難しい家庭環境の場合、またはそもそも親と一緒に暮らしていないこともあるのです。親の同意を義務づける法律があると、10代の若者たちは医療を受けにくくなって中絶のタイミングが遅れたり、非合法の中絶や自分で中絶を試みたりするリスクがますます高まります。親の関与を義務づけている州に住む10代の中には、そうした制限がほとんどない州に出かけていって中絶を受けようとする人たちもいます。

ただし親の同意や親への通知が義務づけられている州で暮らしている10代の若者でも、親に知らせないよう裁判所に請求することは可能です。**司法バイパス**と呼ばれている手段があるのです。ただし、プライバシーに関わることを裁判官に話すのをためらう10代の若者は少なくありません。また、仮に司法バイパスを請求したとしても、手続きに数週間もかかってストレスと不安が募るばかりか、中絶のタイミングが遅くなってしまうこともあります。

ステファニー・ピネイロは、司法バイパスの困難さを自ら経験しました。彼女は17歳のラテン系アメリカ人で、一族で大学に入った初めての世代であり、家族を養うために複数の仕事をかけもちしていました。働いていたピザ屋で夏の恋が始まったことを、「本物の愛を初めて味わった」とステファニーは振り返ります。でも、か

いくつかの州では、10代の若者が中絶を行う際に、一方または両方の親の許可を得ることを義務づけている。親の許可は不要でも、その両親に通知することを義務づけている州もある。親の同意と通知に関する法律の最新のリストは、家族計画連盟のウェブサイトで見ることができる。

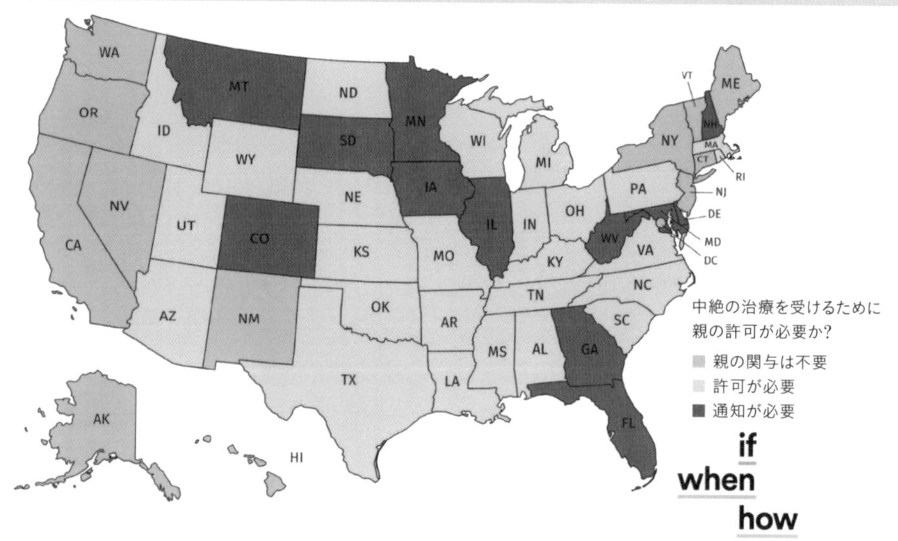

かりつけのカトリック信者の小児科医は、避妊ピルを出すことを拒み、ご両親に知られてしまうし、神はこの若さでセックスすることを望んでおられないなどと説教するばかり。そこでセックスをするようになった恋人たちは、コンドームに頼るようになりました。

ところが「夏の終わりに、コンドームが破れちゃって」。ステファニーと恋人は、何か手はないかとオンラインで検索して緊急避妊薬を見つけました——別名モーニングアフター・ピルまたはプランBとして知られている薬です。ステファニーの恋人は18歳になっていたので、妊娠を防いでくれる可能性のあるこの薬を買いに薬局に行ったのですが、薬剤師は彼に売ってくれなかったのです。ステファニーは続く2週間をひたすら時が流れるのを待ち、困惑し、何か自分で妊娠を終わらせる手はないかとオンラインで情報を探しながらすごしました。グーグルで「DIY中絶」や「流産を起こす方法」を検索し、誰かに階段から突き落としてもらうことまで考えました。2週間後、職場のトイレで妊娠検査薬を使ってみたら、陽性でした。

「そのまま職場を出て、大学までまっすぐ車を走らせて、彼が教室から出てくるのを待ちました。話さなくちゃと思って」とステファニーは回想します。「妊娠してたよ、と彼に言ったんです。彼は大学2年で、フットボールをやるために有名大学に編入するのを狙っていたし、私は弁護士になるという大きな夢のために、高校に在籍しながら大学の単位も先に取っていたのです[*5]。産むわけにはいか

女性の3人に1人が親または法的保護者と一緒に暮らしていない。その場合、彼女の中絶に法的に同意できる人が誰もいないことがある(JDPの2016年報告より)。

ジェーンズ・ドウ・プロセスはテキサス州で、未成年者の法的代理人を確保するために活動している。機密保持のため、司法バイパスを申請する10代の若者はジェーン・ドウ(または略してジェーン)という仮名で呼ばれる。

*5 一定の条件を満たした高校生が、一部の授業を大学で受けられる「デュアル・エンロールメント」制度。

2017年9月、国会議事堂ロビー活動日のステファニー・ピネイロ。若き支援者たちは、リプロダクティブ・ライツを擁護するために上院議員と会って自分の経験を語るロビー活動のために集まった。

なかった。産みたいとも思わなかった。私たちはそれぞれの人生を自分自身で歩んでいく必要があったのだから」

ステファニーは自分の選択肢を調べ、司法バイパスについて学びました。彼女はホットラインを見つけ、2日後に自分の件を担当してくれる弁護士の連絡先を教えてもらいました。「次の日、私は弁護士のオフィスで、中絶することを両親に知られたら危険だ、という証拠を集めなければならないと言われました。私は弁護士を目指していたので、この挑戦を受けて立ちました。弁護士に言われた以上の証拠を準備して、判事に自分の判断は無駄ではなかったと思わせてやろうと決意したのです。私はできたてほやほやの大学の成績証明書を取り寄せて、家族や私自身が苦しめられた家庭内暴力のエピソードを強調した5ページにわたる申請文を書きあげました」

ステファニーの活躍で弁護士は楽ができたとしても、次の段階は楽ではありませんでした。「私の運命は判事の手に委ねられていたわけです」とステファニー。「怖かった。混乱してた。孤独だった。生存本能だけで突っ走っていた感じ。でも何とかなると信じてました――そうするしかなかったし。いつもそうしてきたのだし」

1週間後、ステファニーの審理がありました。「何を言ったか、どうだったのかも覚えてないけど」と彼女は説明します。「でも説得力があったみたい。次の日、裁判所から仮名のジェーン・ドウ宛に司法バイパスの許可がおりたのです。私は親に学校に行くと言って家を出て、朝一番にクリニックに行きました。クリニックが閉まるまでそこにいて、恋人に自分の車を駐めたところまで送ってもらって、あとは運転して家に帰りました。帰ってからは、夕食のジャガイモの皮をむいていた母を手伝いました」

自分自身の経験から、ステファニーは献身的で情熱的なリプロダクティブ・ライツの擁護者になりました。彼女は現在、中絶を受けようとしている女性たちに金銭的な支援を行う「中央フロリダ女性緊急基金」理事会の副会長で、「私たちは証言する（ウィー・テスティファイ）」のメンバーとして自分の中絶経験を公に語っています。

「私の場合は幸運にも司法バイパスを認められたのですが、全国の大勢の10代の若者の現実が違うことはわかってるんです」と彼女は言います。「でも、私が毎日あなたのために闘っていることを知っていてほしいのです。私はあなたを見ているし、あなたを感じている。あなたは一人ではないのだし、あなたは今の制度で得られるもの以上の価値がある。だからより良いものを要求し、必要としているもののために闘ってほしいのです」

・TRAP法

アメリカの多くの州で、中絶を行っているクリニックを狙い撃ちするTRAP法（中絶の提供者に的を絞った規制法）が可決されてきました。どんな医療施設でも医療上及び安全上の要件を満たしているべきですが、TRAP法は中絶医療に対して他の医療ではありえないような条件を課しています。しかも多くの場合、そうした条件は患者の健康や安全とは関係がありません。本書の執筆時点で、アメリカの24州に中絶クリニックを規制する法律や規則があります。TRAP法の規制は患者の保護に必要なことからかけ離れています。たとえばスタッフのロッカーの大きさやクリニックの駐車場の広さを一定以上に定めたり、建物の周囲の芝生を一定の高さに刈ることを義務づけたりしているのです。そのように不必要で費用ばかりかさむ規制の真の狙いは、中絶クリニックを閉鎖に追い込むことです——しかも、この作戦が功を奏しているところもあるのです。

この法のために閉鎖に追い込まれるのは、アメリカの黒人の過半数が暮らしている南部のクリニックが大半を占めています。中絶クリニックが一つもない市や郡も多いし、5州にひとつしかないところもあります。2014年のアメリカの中絶患者に対する調査では、調査対象者の4分の3が子どもを育てる余裕がないので中絶すると答えているのに、最も中絶を受けにくい州で暮らしている女性たちほど貧困にあえいでいます。ここでもやはり、TRAP法によって最も打撃を受けるのは貧しい女性と有色の女性なのです。

反中絶のプロパガンダ

反中絶派の人々が取る戦術の一つは、中絶を実際よりもはるかに安全ではないように見せかけて世論を操作することです。反中絶派のアクティビストたちは、中絶に関して科学的根拠に反する情報を広めています――しかも、その誤情報を直接突きつけられるのは、若者たちや望まない妊娠に直面している女性たちなのです。

• 禁欲主義教育

アメリカの学校教育では、数多くの誤った情報が積極的に教えられています。多くの州が**禁欲主義教育プログラム**を採用しています――結婚するまで純潔を守るよう生徒に教える性教育プログラムです。このプログラムでは、コンドームや避妊ピル、子宮内避妊具(IUD)などの避妊失敗率を誇張して教え、HIVや性感染症について誤った情報を与え、中絶に関する"神話"を広めているのです。性的にアクティブな10代の若者たちに、より安全な(セーファー)セックスを教えないばかりか、妊娠を防止する避妊の情報提供さえ行わないのです。

数々の研究で、禁欲主義の性教育は現実の禁欲率にほとんどあるいはまったく影響を与えないことが判明しています。言い換えれば、10代の若者にいくら禁欲を唱えても、実際の性行動の有無には影響しないのです。ただし、禁欲主義教育プログラムが影響を与えている領域が一つだけあります。それは10代の妊娠率です。禁欲主義教育プログラムを実施している州は、10代の妊娠率が最も高いのです。一方、包括的性教育[*6]を受けている10代のほうが妊娠率がはるかに低いのは、驚くべきことではありません。

• 危機妊娠センター

「危機妊娠センター」は、アメリカとカナダの両国でもう一つの誤

*6 年齢に合わせて段階的に行われるジェンダー平等や性の多様性を含む人権尊重を基盤とした性教育のこと。

2018年3月、アメリカの最高裁前で、アクティビストたちは危機妊娠センターの欺瞞的行為に抗議するために「#ウソはやめろ」キャンペーンの一環として集会を開いた。

情報の発信源になっています。これらのセンターは中絶クリニックより3倍も数が多く、「カウンセリング・センター」や「医療クリニック」といった名前を冠して、支援と資源と選択肢を与える場所だと自称し、たいてい公的な支援も受けています。ところが実態は、相談に来た人が自己決定できるように支援するどころか、中絶のリスクを誇張し、妊娠継続を説得する場になっているのです。役に立つサービスがないとは言わないにしても、危機妊娠センターは相談者をあやつりだます反中絶の実践の場になっているのです。

カナダ中絶権連合は国内にある危機妊娠センターのウェブサイトを調査して、2016年にその結果を発表しました。報告書によると、ほとんどのセンターが、サイト上で中絶、避妊、性感染症、性行為、養子縁組に関する誤情報や不正確な情報を広めていました。多くは自らの宗教的背景を隠し、中絶を支援しないことも明記していなかったのです。

• 誤情報に基づく同意

一部の州では、中絶を行う前に医師が患者に**インフォームド・コンセント**［説明と同意］の説明を読み上げることを義務づけています。インフォームド・コンセントはどんな医療処置についても重要です。患者はすべての選択肢を理解し、リスクを認識した上で、自分の治療について適切な決定ができるように、適切な情報を提供されなければなりません。中絶を提供する人々はこの考え方を支持しています。

ところが、アメリカの多くの州では、中絶を行う医師たちが読み上げる説明文が州法で定められていて、その文言の多くが反中絶派の**イデオロギー**とプロパガンダに満ちているのです。医師たちは中絶患者に、中絶の手続きは将来の心身の健康にさまざまなリスクがあると告げるよう義務づけられています――たとえば、科学的には間違いだと知りながら、不妊症は中絶のリスクの一つであると患者に伝えなければならなかったりするのです。

そこで医師の中には、義務としてこの情報を読み上げますが、これが間違いなのはすでに証明済みです……などと患者に情報提供して対処している人もいます。南部の複数の州で中絶を行っているウィリー・パーカーはこう言います。「ミシシッピ州では、中絶すると乳がんのリスクが高まると女性たちに伝えねばならないんですが、そんなことは科学的に証明されていない――つまり嘘なんです！　私は女性たちに、法的に義務づけられていることを告げてから、すぐさま、それはまったく真実ではないと言い添えています」

スピークアウト

私たちが最初に行ったのは、中絶された胎児の写真を見せて、子どもを中絶させないように迫ってくる恐ろしい場所の一つ、「危機妊娠センター」でした。そのトラウマ的なできごとの後で、私たちは中絶処置をしてくれる家族計画連盟のクリニックを見つけることができました。数日後に行ってみたら、私たちが下した決断を理解してくれる人たちがいたのでほっとしました。

――ターニャ・デパス、『ウィー・テスティファイ：私たちの中絶物語』より

MYTHS & FACTS ABOUT ABORTION

中絶に関する「神話」と真実

Myth: Having an abortion is dangerous for your health.

神話:中絶をすることは、健康にとって危険だ。

FACT: The risks of continuing a pregnancy and delivering a baby are approximately 10 times higher than the risks of an abortion during the first trimester of a pregnancy.

真実:妊娠を継続して出産することのリスクは、妊娠初期に中絶する場合のリスクより約10倍高まる。

Myth: Abortion increases your risk of breast cancer.

神話:中絶すると、乳がんのリスクが高まる。

FACT: There is good scientific evidence that abortion does not increase your risk of breast cancer.

真実:中絶で乳がんのリスクは高まらないという十分な科学的証拠がある。

Myth: People who have abortions often regret the decision and experience depression afterward.

神話:中絶をした人は、その決定を後悔したり、その後うつ病になったりすることがよくある。

FACT: An unplanned pregnancy can be a stressful experience. Most people who have abortions feel relieved afterward. It is true that some people who choose to end an unplanned pregnancy will experience difficulties and depression afterward. But so will some people who choose to continue the pregnancy. Choosing an abortion does not lead to a higher risk of depression than choosing to continue an unplanned pregnancy.

真実:予定外の妊娠は、ストレスの多い経験となる。中絶をした人のほとんどは、中絶後にほっとする。予定外の妊娠を終わらせることを選んだ人の中に、後に困難や落ち込みを経験する人がいることは事実だとしても、それは妊娠を継続することを選んだ人たちも同様だ。中絶を選択したからといって、予定外の妊娠を続けることよりもうつ病のリスクが高くなるわけではない。

Myth: Having an abortion makes it difficult to get pregnant in the future.

神話:中絶をすると、将来的に妊娠することが難しくなる。

FACT: A safe, legal and uncomplicated first-trimester abortion has no effect on future fertility.

真実:安全で、合法的で、合併症のない第一期中絶は、将来の生殖能力に影響を与えない。

Myth: Fetuses experience pain during abortions.

神話:胎児は中絶手術中に痛みを感じる。

FACT: Fetuses cannot feel pain until at least the 24th week of pregnancy.

真実:胎児は妊娠24週目までは痛みを感じることはありえない。

人々が自分の身体や選択に関して正確な情報を得ることはとても重要です。リプロダクティブ・ライツの支持者としては、こうした嘘にであったらすぐに反論できるようにしておくことが大切になります。

選択と教会

中絶の権利に反対する非常に強力で声高なロビー活動団体の一つは、カトリック教会です。カトリックのイデオロギーの影響を強く受けている国には、中絶を禁止したり、徹底的に制限したりする法律があり、避妊についても制限されていることがあります。カトリック教会は、国際的なレベルでリプロダクティブ・ライツの運動の勢いをそぐために数多くの手段を使ってきました。バチカン市国は、ゴルフコースほどもない広さで人口はわずか数百人――女性は50人未満――ですが、国連では一つの国家として扱われています。バチカンの政府である教皇庁は、国連における地位を利用して、カトリックかどうかを問わずすべての人々に自分たちの見方を押しつけてきました。バチカンは、ロシアやイラン、サウジアラビアのような保守的な国々を味方につけて、女性と少女の性と生殖の権利と自由を守るための世界中の努力にくり返し抵抗してきたのです。

ところが教会の公式見解とは違って、実のところカトリック教徒の中絶率は非カトリックと変わりません。避妊についても、カトリック教徒の大半が教会の教えに反して受け入れています。アメリカの2015年の世論調査では、カトリック教徒の86%が避妊は「道徳的に受け入れられる」と答えていました。多くの――国によってはほとんどの――カトリック教徒は、もはや中絶に関する教会の公式見解には同意していません。「カトリック・フォー・チョイス」のようなグループが、変革に向けて取り組み始めているのです。

ワシントンDCのアメリカ最高裁の前で中絶を選択する権利への支持を表明する「カトリック・フォー・チョイス」の人々。

リプロダクティブ・ライツとトランプ = ペンス政権

2017年にドナルド・トランプ大統領が就任して以来、アメリカのリプロダクティブ・チョイスの未来は、以前にもまして不確実性を増したように感じられました。トランプは、大統領選挙の最中に、中絶をした女性には「何かしらの罰」があるべきだと主張していました——マイク・ペンスを副大統領候補に選んだことにも、明らかにおぞましいメッセージが込められていました。従来ペンスが推進してきた極端な反中絶政策の中には、中絶する女性に胎児の葬儀を行うことを義務づけたり、カトリックの病院に女性の命を救うために必要な場合でさえ中絶を拒否できる権利を与えたりするものもありました。さらにペンスは、「ロウ対ウェイド」判決を「本来の居場所である歴史のゴミ捨て場に返す」とまで誓っていたのです。「ロウ対ウェイド」判決をくつがえすことができるのは最高裁のみなので、ドナルド・トランプは判事に欠員が出たら「プロライフ[*8]派」の判事で埋めると約束していました。彼は2017年にニール・ゴーサッチ判事を指名し、2018年には性的暴行疑惑にもかかわらずブレット・カバノー判事を指名しました。この2名の判事が指名されたことで最高裁は保守派が多数となり、「ロウ対ウェイド」判決を直接くつがえす——事実上根こそぎにする——可能性が生まれたのです。またトランプ大統領は、多くの保守的な判事を下位裁判所の判事に指名しました——そのほとんどは終身制で定年がありません。こうした判事の指名の影響力は、今後何十年にもわたって、何百万人ものアメリカ人が実感することになりそうです。

トランプ政権に後押しされて、多くの州が何百もの中絶反対法案を提出しました。なかには「ロウ対ウェイド」判決で保障された中絶の権利に真正面から衝突するような厳しい禁止法案も含まれています。そのような法案に対してリプロダクティブ・ライツの擁護者たちはただちに法廷で反論しますが、それは保守勢力が圧倒的多数になった最高裁に審議を持ち込んで、「ロウ対ウェイド」判決をくつがえそうと狙っている人々の作戦の一部でもあるのです。仮に「ロウ対ウェイド」判決がくつがえされたりすると、アメリカ国内の中絶の権利は個々の州に委ねられてしまいます。そうなると、中絶を受けられるかどうかは住んでいる場所しだいになるのです——あるいは、中絶を受けるために他の州に行けるだけの経済力があるかどうかで決まってしまうことになるのです。

トランプ＝ペンス政権は、アンチチョイスの人々を政府の要職に配置しました——その結果、リプロダクティブ・ライツに対して絶え間ない攻撃がくり返されています。2018年には、これまで避妊をはじめとするリプロダクティブ・ヘルスケアのために連邦資金が提供されてきた（マイク・ペンスが長年、予算を削ろうと努力してきた）家族計画連盟などの医療機関に規制をかけることが発表されま

*8 生命(life)を尊重する立場のこと。

最高裁（SCOTUS）の前でアピール活動を行うリプロダクティブ・ライツのアクティビストたち。

した。この規制によって、医師は患者を中絶医療の提供者に紹介することが難しくなり、患者は自分が受けられる医療について全面的かつ正確な情報を得られなくなる恐れがあります。この政策は「国内の口封じ（ギャグ）のルール[*9]」と呼ばれ、この規制の影響を受けることになる家族計画連盟などの［費用の安い］公的医療機関を頼りにしている何百万人もの人々に影響がおよぶ恐れがあるのです。

そうやって医療機関に打撃が加えられると、避妊の手段を得たり、定期的な健康診断を受けたりすることが難しくなる人々が出てきます。さらに、10代の妊娠を減らすことを目的とした連邦政府の資金を包括的性教育には使えなくなり——禁欲主義の性教育では10代の妊娠はかえって増えることがすでに明らかにされているのに——禁欲主義教育プログラムに注ぎ込まれてしまいます。それと同時に、トランプ政権はリプロダクティブ・ライツと中絶の権利への攻撃をくり返しているため、望まない妊娠が増えてしまうような政策が進められていくことになるのです。

トランプ政権がもたらす脅威はとても現実的なものでしたが、その分、強力な抵抗力も呼び覚ましました。「2020年（大統領選）に向けて、本当に強力な組織を作る希望が湧いてきたんです」と、リプロダクティブ・ライツを唱道するネットワーク「オール✱アバヴ・オール」の共同代表デスティニー・ロペスは語ります。「今回の［トランプが大統領に選ばれた］選挙で我々は危機に直面しました。でも、私たち女性は——そして低所得者や有色の人々や移民たちは——不可能を可能にする闘いに慣れているのです」

＊9　中絶に公金を使うことを禁じる規則。海外向けのグローバル・ギャグ・ルールもある。

Women on Waves
egal Choice

CHAPTER FOUR
第4章

世界の安全な中絶を求める闘い

世界では、妊娠の4件に1件は中絶に終わっています。そのうち安全でない中絶は約半数、毎年2500万件にものぼります。訓練を受けた医師によってクリニックや病院で行われるのではなく、資格のない人々によって不潔な環境で行われる中絶のために、あまりにも多くの人々が負傷し、感染症にかかり、死に至っています。安全でない中絶の大多数 ―― 97% ―― はアフリカ、アジア、ラテンアメリカの途上国で行われています。

非合法で安全でない中絶は、女性の命と健康を壊滅的に痛めつけています。世界では、毎年、推定4万7000人の女性が安全でない中絶の合併症で命を落としており、そのほとんどが途上国の女性たちです。8分間に1人の女性が危険な中絶の合併症で亡くなり、毎年22万人もの子どもたちが母親を失っています。

さらに多くの人々がけがや病気に至っています。毎年、途上国では約700万人の女性が安全でない中絶による合併症の治療を受けています。何百万人もの女性が合併症の治療さえ受けられずにいます。多くの女性が生涯続く健康問題を抱える結果になっています。

もちろん、女性が中絶を受けられないのは、途上国ばかりではありません。先進国の多くも中絶を犯罪としています。たとえばポーランドでは、レイプや近親姦の場合や母体や胎児の健康に重大な危険がある場合を除き、中絶が禁止されています[*1]。北アイルランド[*2]では中絶はもっと制限されていて、妊娠が女性の生命を脅かす場合を除いて非合法です。韓国では、2009年後半に政府が少子化を懸念して刑法堕胎罪を厳しく適用するようになるまでは、中絶は違法でありながら広く行われていました。中絶を受けるために海外に行く女性たちもいましたが、ほとんどの女性には数十万円もかかる旅費や医療費を払う余裕はなかったのです［ポーランド、北アイルランド、韓国の現状は184～185ページを参照］。

*1　2020年10月、ポーランドでは重度の胎児障がいを理由とした中絶も禁止された。
*2　2019年に中絶が合法化され、英連邦のすべてで中絶が受けられるようになった。

アフリカの国々とヨーロッパの法律

アフリカがヨーロッパによって植民地化されるまで、中絶は一般的にプライバシーに関わる問題で、伝統的な施術者の手に委ねられていた。アフリカのほとんどの国にある中絶禁止法は**植民地主義**のなごりで、アフリカを占領したヨーロッパ諸国の政府が作ったものだ。そうした法律の多くが今も生きていて、何百万人もの女性たちをひどく苦しめている。たとえばシエラレオネでは、中絶を犯罪とする法律がイギリス政府によって決められ、1861年から施行されている。同じくイギリスの旧植民地であるナイジェリアでは、女性の命を救うために必要な場合を除いて中絶は犯罪行為で、中絶を提供する人々と妊娠中の女性の両方に禁錮刑が科せられる。

中絶を禁止したり、中絶を受けられる可能性を大幅に狭めたりする法律があれば、中絶率は下がると思う人がいる。でも、そうでないことを示す明らかな証拠がある。実際には、その逆が正しい。中絶が違法である国は、要求しだい（オンデマンド）の中絶が可能な国よりも、実際には中絶率がわずかに高い。意外かもしれないが、中絶を制限したり禁止したりしている国の多くは、女性の避妊手段も限られている。途上国では2億1400万人の女性が近代的な避妊具を必要としていながら、手に入れられずにいる。望まない妊娠を防げなければ、中絶率はおのずと高くなる。

この問題はあまりに大きいように思えるかもしれませんが、変革に向けた国際的な動きは力強く高まっています。2015年、国連は、貧困をなくし地球を守るための一連の目標に合意しました。この目標は持続可能な開発のための国際的なアジェンダ[*3]の一部を占めています。「国際女性健康連合（IWHC）」は、世界中のアクティビストと協力して、リプロダクティブ・ライツを課題に組み込むことにしたのです。「相当な闘いを潜り抜けて

スピークアウト

今日、安全でない中絶は主に**途上国**の女性に起きている。先進国では、最も貧しく疎外された人々に生じている。これは正義の問題であり、不平等の問題でもある。貧しい国の女性たちは、妊娠を終わらせたいと思ったときに大きな危険に直面している。

——フランソワーズ・ジラード、IWHC代表

＊3　課題項目。

センター・フォー・リプロダクティブ・ライツは、1988年から世界の中絶規制法の状況を示す「世界の中絶規制法マップ」を作成している。インタラクティブなマップは定期的に更新されている。
https://maps.reproductiverights.org/worldabortionlaws からアクセスできる。

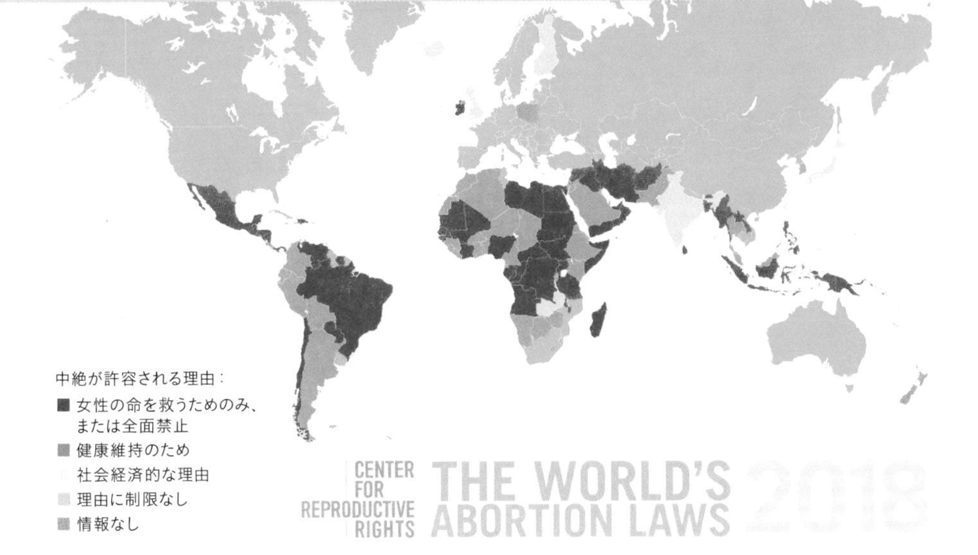

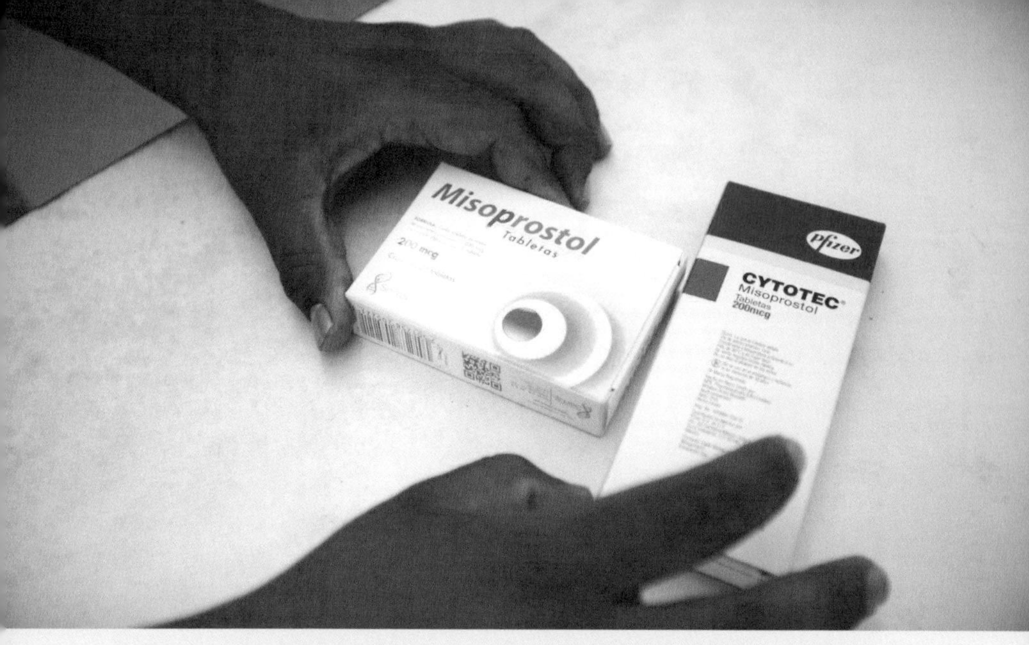

メキシコの薬局で販売されているミソプロストールのジェネリック医薬品と、サイトテックとして販売されている同薬の先発医薬品。ミソプロストールは、胃潰瘍の治療に使用されるが、流産の誘発にも効果がある。

きました」と、IWHCの代表フランソワーズ・ジラードは語ります。「それでも、まだ毎年4万7000人もの女性の命が奪われています。だからこそ私たちは闘ってきたし、ここまで来たのです」

国によって具体的な課題は違っていても、ニーズは明らかです。人々は、自分の身体やリプロダクティブ・ヘルスについて正確な情報を必要としています。望まない妊娠を防ぐためには、効果的で手頃な価格の避妊手段も必須です。さらに、安全で合法的な中絶が得られることも不可欠です。世界中で、フェミニストのアクティビストたちは、こうした目標をすべて達成するために日々努力を続けているのです。

中絶薬

全世界における中絶へのアクセスを考えるのであれば、中絶薬はたいへん重要なテーマになります。中絶薬ならどこでも誰でも服用できるので、中絶クリニックまで行けない人でも妊娠を終わらせられます。遠隔地で暮らす人々や、中絶が違法だったり厳しく制限されていたりする国に住んでいる人でも、中絶が可能になるのです。

ミフェプリストンとミソプロストールは、今や世界保健機関（WHO）の必須医薬品リストに掲載されています。中絶が違法である多くの国では、各国のアクティビストが中絶薬への意識を高め、女性たちに中絶薬の入手方法を知らせようと努力しています。中絶以外のさまざまな症状の治療薬として販売されている薬が国内の薬局で手に入る場合もあるし、安全で信頼できる中絶医療の提供者にオンラインで注文することも可能です［日本の現行法では不可］。

全世界に影響するアメリカの政策

トランプ＝ペンス政権は、アメリカだけでなく、世界中の女性の命や健康に壊滅的な打撃を与えています。ドナルド・トランプが大統領に就任して最初に行ったことの一つが、「グローバル・ギャグ・ルール」を復活させる大統領令への署名でした。この政策は、アメリカ政府から資金提供を受けている海外の**非政府組織**（**NGO**）に対して中絶の提供を禁じるばかりか、中絶に関するカウンセリングやサービスの紹介、自国の中絶禁止法を変えるために働きかけることも禁止しています。メキシコシティ政策[*4]とも呼ばれるこのアンチチョイスの政策は、1984年以降の歴代共和党政権時代に実施されてきました。歴代の民主党の大統領はこの政策を中止し、共和党の大統領は復活させてきたのです。トランプはこの政策を復活させたばかりか、拡大させました。国際保健の専門家たちは、トランプの政策がもたらす結果は致命的なものになりかねないと述べています［2021年1月に民主党のバイデン大統領が政権の座について最初に行った仕事の一つが、グローバル・ギャグ・ルールの撤回でした］。

＊4　中絶等の支援をする国際NGOへの支出を禁止するギャグ・ルールで1984年にレーガン大統領が導入し、以後、共和党が政権を奪還するたびに復活。

ハイド修正条項は、アメリカの貧しい人々にとって「ロウ」判決を空約束にしてしまったが、メキシコシティ政策は海外で同じ効果をもたらしている。

アメリカ政府は自国民に保障している権利を国際的にも保障したがっていると思うかもしれないが、メキシコシティ政策はまったく逆のことをしている。

グローバル・ギャグ・ルールとも呼ばれるこの政策は、レーガン以降のすべての共和党大統領下で存在している。

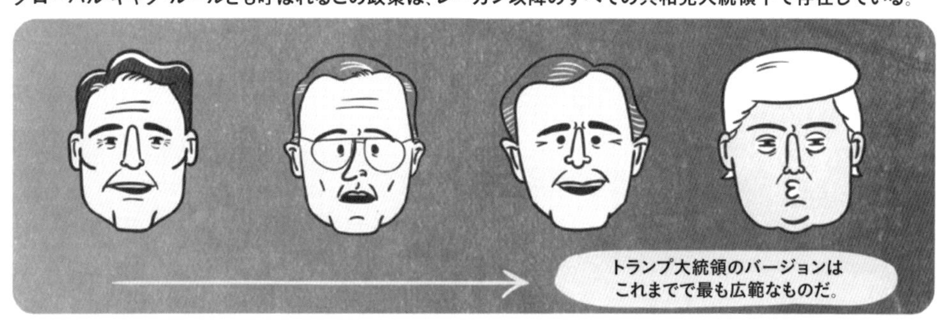

トランプ政権下のギャグ・ルールでは、アメリカは「家族計画の手段として中絶を用いたり、積極的に推進」したりする海外のNGOには、国際保健基金[*4]を一切提供しない。

＊4　以前のバージョンでは国際家族計画基金にのみ適用されていた。

これまでのグローバル・ギャグ・ルールは家族計画に関連する機関だけが対象でした——つまり、避妊の情報と手段を提供することで、人々に性と生殖の自己決定を与える機関だけだったのです。それでも影響を受けるのは年間約6億ドル規模にのぼっていました。ところが、途上国の場合、多様な幅広い医療サービスを提供している数多くの組織がアメリカから資金援助を受けています。アメリカは毎年、約90億ドルを世界中の医療支援に提供しているのです。家族計画やリプロダクティブ・ヘルスのプログラムに加えて、HIV／エイズ、マラリア、結核などの感染症を予防・治療するプログラムの他、飲料水の安全性を確保するためのプログラムもあります。トランプの拡大版グローバル・ギャグ・ルールは、家族計画以外のあらゆる医療支援プログラムにも影響を与えました。

資金を得られなくなれば、閉鎖するクリニックも出てきます。なかには不可欠な他のサービスを続けるために、グローバル・ギャグ・ルールを受け入れて安全な中絶のためのプログラムを犠牲にするところもきっと出てきます。これでは、意図しない妊娠や安全でない中絶が増えてしまいます。以前、グローバル・ギャグ・ルールが敷かれていた2001年から2008年にかけて、この政策に最も厳しい影響を受けたアフリカの国々では中絶件数が2倍以上に増加したものです。

スピークアウト

「メキシコシティ政策は驚くべき欠陥のある政策。まったく無意味です。女性の選択権を信用せずに、中絶を手が届かないものにしようとする人々が支持しているこの政策は、意図しない妊娠を防ぐ女性の力を奪ってしまうため、中絶のニーズを高めてしまうのです」

——マリー・ストープス・インターナショナル、サラ・ショー

新たなグローバル・ギャグ・ルールの下では、最も弱い立場の女性や少女が、自分の身体や健康、命について正しい情報を得て選択する力がさらに弱められてしまいます。この政策——アメリカのアンチチョイス派によるロビー活動の直接的な成果——のために、

世界中で毎年何千人もの女性や少女が命を落とすことになるのです。

• ギャグ・ルールを拒否する：理念と価値観の問題

2001年、ファデケミ（ケミ）・アキンファデリン－アガラウは、ニューヨークにあるコロンビア大学の3年生で、HIV感染について研究していました。彼女は祖国ナイジェリアでHIVがどのような影響を及ぼしているのかを調べるために一時帰国することにしました。彼女は若者たちが性教育をどれくらい受けているかにも関心がありました。ナイジェリアには2年間滞在する予定でした。ところが、自分より数歳若い何百人ものティーンエイジャーと活動をしているうちに、彼女はこの仕事に情熱を抱くようになったのです。「多くの友人を得て、この活動がどれほど重要か、いかに大きな認識のずれがあるか、あまりにも性教育の準備が整っていないのを痛感しました。これこそやるべきことだと決心したのです。それで医学部に進むのはやめて、コロンビア大学に戻って2年間で公衆衛生学の学位を取得しました。終わったとたん、すぐに飛んで帰りたくてたまらなかった」

スピークアウト

「私は2000年代の初め、グローバル・ギャグ・ルールが敷かれていた時期に、難民の保健所でボランティアをしていました。私たちは中絶を提供できなかったので、女性たちは自己流で中絶するしかありませんでした。そのため、女性たちは血を流し、負傷してやってきました。私はその場で、即座に学びました。中絶を禁止することはできません。禁止できるのは安全な中絶だけなのです」

――カナダのクリニック554のエイドリアン・オーウェン・エドガー医師

ケミは友人と一緒に「エイズと闘う予防策としての教育」という組織を立ち上げ、ほどなく活動範囲はセクシュアル&リプロダクティブ・ヘルス、10代の妊娠、安全な中絶に関する情報提供へと拡大したので、組織の名前を「予防策としての教育（EVA）」に変えました。ケミたちは、情報提供活動をもっと広めようと、訓練や支援を提供する活動も始めました。より大きな影響力をもつために、政策提言や権利擁護の活動にも力を入れるようになりました。

また、テクノロジーの力を利用して「マイ・クエスチョン」というサービスも開始しました。「若者たちは無料のホットラインに電話して、私たちのオフィスにいる5人のカウンセラー――ナイジェリアで使われている多言語を使える人たち――と話したり、テキスト・メッセージやEメールで質問したりできるのです」とケミは説明します。10代の若者に性の健康やサービスの利用方法などを教えるモバイルアプリも開発しました。また、若者が確実に避妊できるようにするためのガイドライン作りも提唱しました。さらに、今、望まない妊娠で困っている10代の若者に情報提供し、国内の妊産婦死亡の重大な要因になっている安全でない中絶の合併症を防ごうとしています。

2017年3月の国際女性デーに、トランプ大統領のグローバル・ギャグ・ルールに反対するアメリカの抗議デモ。世界中でおよそ200万人が国際女性デーのストライキに参加するため路上に繰り出して世界中の結束を示し、なおも続く女性に対する不平等と暴力に抗議した。

「予防策としての教育(EVA)」のカウンセラーは、ナイジェリア中の若者たちの電話に応じ、質問に答え、性と生殖に関する健康についての情報を提供している。

2016年、EVAはアメリカのある組織と提携する機会に恵まれました。「何百万ドルにもなる企画書を書いたのは初めてでした。これだけの資金があれば、もっと影響力とパワーを増して、人員と経費をかけてサービスを拡大して、電話回線を増やして、より多くの若者とつながって、コミュニティ活動を行って、HIV感染者のためのサービスや治療の支援だってできたはずです」

ところが、トランプ大統領はグローバル・ギャグ・ルールの拡大版に署名してしまったのです。EVAがアメリカから資金を受け続けようと思うなら、妊娠中の少女や女性を対象とした相談はできなくなることをケミは知りました。もし10代の若者が中絶について質問してきても、「そのことはお話しできません」と言うしかないのです。少女たちを直接助けられないばかりか、リプロダクティブ・ヘルスに関してナイジェリアの議員に働きかけることもできなくなるし、安全な中絶の実現を目指している他のグループを支援することもできなくなるのです。人々の生命を救う活動を続けたいなら、アメリカからの資金援助を拒否する以外の選択肢はなかったのです。「自分たちのしていることを重々意識しながら下した、とても難しい決断でした」とケミは語ります。「だけどそれは原則と価値観に関わる問題だったのです。私たちは権利を信じているのですから」。結局、EVAは資金提供を断りました。口封じされない道を選んだのです。

ノリウッドで描かれた中絶

ナイジェリアの「ノリウッド」は、アメリカのハリウッド、インドのボリウッドに次ぐ世界有数の大規模な映画産業になっている。アフリカで上映されている映画のほとんどは、ノリウッドで作られる。残念なことに、ノリウッドの映画では中絶を受ける女性は、不道徳な悪女として描かれ、たいてい死んでしまうか、ひどく身体を痛めて将来子どもをもてなくなる。中絶はとても危険なものとして描かれ、アフリカの多くの人々の中絶観に影響を与えている。

「映画業界は、中絶に関する世論を動かし誤解やあからさまな嘘を塗り替えるために、大きな役割を担っている」とファデケミ・アキンファデリン－アガラウは語る。「中絶が実は安全なものだということを人々が理解すれば、中絶法の**自由化**を支持する可能性は高まります。でも人々は中絶を危険だと信じているので、『なぜ人殺しを推進するのか?』などと言うのです」

ノリウッド映画の撮影現場での俳優とスタッフ。ノリウッドは年間1500本以上の映画を製作しており、その数はアメリカのハリウッドをはるかにしのいでいる。

サビタの死から3週間後、1万人を超える人々がダブリンの路上デモに参加した。サビタの父親は人々の前でスピーチし、アイルランド政府は中絶に関する法を改正すべきだと呼びかけた。

アイルランドにおける中絶の権利を求める闘い

1983年、アイルランドは憲法に修正第8条を追加しました。胎児に母親と同等の生命の権利を認め、アイルランドの法律はその権利を守らねばならないとする内容でした。それから数十年間にわたって国内の中絶は禁止され続けた一方で、毎年、何千人ものアイルランド人が中絶のために海外に渡りました。その大半はイギリスでした。2016年にはイギリスで中絶するアイルランド在住者は3265人にものぼりました。「中絶支援ネットワーク」のような団体は、できる限りの支援を行いました。ほとんどがボランティアで運営され、個人の寄付で支えられている中絶支援ネットワークは、中絶のためにイギリスに渡航しなければならないアイルランドの人々に、情報と経済的支援、宿泊施設を提供したのです。

2012年、サビタ・ハラッパナバールの死は全国ニュースになりました。31歳の歯科医のサビタは妊娠17週目に入院し、流産しかけました。激しい痛みに襲われたサビタは医師に中絶してほしいと頼んだのですが、まだ胎児の心音が残っていたため、アイルランドの法律では中絶はできなかったのです。サビタは**敗血症**になり、病院で亡くなりました。専門家たちは、彼女の望みどおりに中絶を行っていれば、命は助かったかもしれないと証言しました。サビタの死に人々の怒りが湧きあがり、中絶禁止法の改正を求める声が高まりました。中絶合法化を求めるキャンペーンは「修正第8条撤廃」キャンペーンと呼ばれるようになりました。

スピークアウト

「今のアイルランド社会で暮らす若者にとって、修正第8条の存在を知らずにいることは不可能です。市役所の壁にはスプレーで『撤廃』と書かれた文字があり、街角にプロチョイスのステッカーが貼られているのを見ずにすまされることはないからです」
――「チョイスを支持する学生たち」の共同設立者ミーガン・ブラディ

かつてカトリック団体による多大なロビー活動を経て修正第8条が追加されたとき、有権者の約7割がこれを支持していました。ところが、80年代の初めからアイルランド社会は大きく変わりました。カトリック教会の影響力は弱まり、特に若者たちが社会変革の先頭に立つようになりました。2015年の**国民投票**では、婚姻の平等［同性婚の権

サビタの死後、アイルランドの首都ダブリンで、修正第8条の撤廃を求めるデモ隊の人々。

スピークアウト

「私は自分が中絶したことを恥だとは思っていないけど、自分が犯罪者にされてしまう国に帰って来るのは……心がずたずたにされる気分です」
──イギリスで中絶を受けてアイルランドに戻ってきたサラ、23歳

利」が圧倒的に支持されました。アイルランド共和国における中絶権キャンペーンは急速に成長していき、2012年に行われた「選択権を支持する行進」には3000人が参加したものですが、2016年には2万人以上が集まりました。

国民の熱気はますます高まっていき、政府もそれに応じました。2018年5月25日、アイルランドで行われた国民投票で、人々は憲法修正第8条を廃止するかどうかに決着をつけました。結果は、3分の2が廃止に賛成し、中絶の権利の支持者側が圧倒的な勝利を収めました。このとき、世界中に散っていたアイルランドの国籍をもつ人々は、投票するためにわざわざ帰国したといわれます。23歳のオーズ・アブデルハクーブレイクは、投票するためにケニアのナイロビから12時間をかけて帰国しまし

アイルランドの10代の若者は──投票権のない世代も含め──中絶する権利を求める闘いで重要な役割を担った。

この写真は「帰国して投票せよ」運動の象徴的なイメージとして使われているが、実際には国民投票の2年前にロンドンのアイルランド大使館前で行われたデモで撮影されたもの。デモの参加者たちは、中絶のためにアイルランドからイギリスに渡航するしかない何千人もの女性たちを象徴するためにスーツケースを持参した。

た。「ついに一線を越えた世代として、歴史に刻まれたかった」と彼は語りました。「何世紀にもわたって国をおおってきた宗教的な罪悪感や羞恥心をついに取っ払ったんだ」

今回の憲法修正第8条廃止の投票によって、アイルランド政府には妊娠初期の中絶を実現する新たな法律を作る道がひらかれました。これはアイルランドでリプロダクティブ・ライツを求めて闘ってきた人々にとって大きな勝利であるばかりか、世界中に波紋を広げることにもなりました。「［廃止に］YES」キャンペーンをくり広げたグレイン・グリフィンはこう言いました。「同じような変化を求めている世界中の人々のために、私たちは希望の灯火を掲げたのです」

隣りあう北アイルランドは、［当時］イギリス連邦内で唯一、中絶が犯罪として扱われている地域で、中絶を支持する人々が置き去りにはされないぞと誓いあっていました。ワルシャワの「アボーション・ドリーム・チーム」のナタリア・ブロニアルクジックは、「ポーランドの女性の権利をめぐる社会運動は、今回の［アイルランド

憲法修正第8条の廃止を問う国民投票での勝利にアイルランド中で7000人の有権者が路上に出て祝った。

の］ことから希望を得られるはず」と語りました。さらに、アルゼンチンのようなカトリック諸国にとっても、アイルランドの国民投票は変革が可能であることのきざしになりました［2019年は北アイルランドで、2021年はアルゼンチンで中絶は非犯罪化されました。6、84ページ参照］。

国民投票の翌日、アイルランド共和国のレオ・バラッカー首相は、この投票を「静かな革命の頂点」と呼びました。「医師たちが患者に対して、できることは何もないと言うようなことはもうなくなる」と彼は演説しました。「アイリッシュ海を渡る孤独な旅もなくなる。スティグマを刻まれることもなくなる。秘密のベールは取り払われた。もはや孤立しなくていい。恥辱の重荷もなくなったのです」

サビタ・ハラッパナバールの父親アンダナッパ・ヤラギも思いを語りました。「サビタのために正義を貫くことができました。娘に起きたようなことが、他の家族に起こることは二度とないのです」

アイルランドの若きアクティビスト

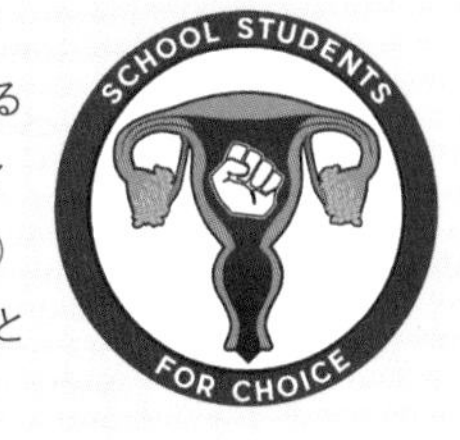

アイルランドのダブリンで、選択権（チョイス）の闘いに参加している3人の若きアクティビストを紹介しよう。ミーガン・ブラディ（中）とその友人ニアム・スカリー（右）、ジョディ・ドイル（左）だ。彼女たちは高校生で「チョイスを支持する学生たち」というグループのメンバーであり、共同設立者でもある。

ミーガンは13歳のとき、憲法修正第8条について学び始め、友人と一緒にプロチョイスのデモ行進に参加した。その数年後、社会主義フェミニストグループ「リプロダクティブ・ライツを求め抑圧・性差別・緊縮財政に反対する会（ROSA）」にも参加し、より深く関与するようになった。ROSAの活動に触発されたミーガンは、友人と一緒に「チョイスを支持する学生たち」というグループを立ち上げた。このグループは、学生による抗議集会や公園でのプロチョイス・ピクニックを開くなどの非公式な活動を行い、学生たちに憲法修正第8条の廃止を求める運動について知ってもらうよう努めた。

ミーガン同様に、ジョディもROSAのミーティングに参加するようになったが、「初めてのちゃんとした『参加』は、バッジを買ったこと。特に若いアクティビストにとっては、こんな小さな活動でも、自分の意見を公にし、誇りに思っていることを示せるのはとても重要な第一歩」と話す。

「チョイスを支持する学生たち」の他のメンバーと共に、3人のアクティビストはイベントで公に発言したり、集会や抗議活動に参加したり、嘆願書やハガキキャンペーンを組織した他、詩人やミュージシャ

ンがフェミニズムやリプロダクティブ・ライツに関する作品を披露する「撤廃を求める一夜」というイベントも開いた。さらに彼女たちのグループは、オンラインや対面で市民と対話し、なぜ中絶の権利を支持するのかを説明する活動も行っている。

「個人的に、前進するための唯一の道は、どんなにイヤな意見でも、他の人の言い分に耳を傾けることだと思います」とニアムは語る。「アンチチョイスの人々がなぜ身体の自律に反対しているのかを理解しなければ、身体の自律がどんなに重要なのかを説得できません」

彼女たちは、より大きな声で、より目立つ抗議活動も必要だと考えている。「耳を傾けてもらうためには、時に叫ぶことも必要です」とニアムは言う。

ジョディも同意して、「とにかく外に出て何かをすること。怖がらないで——できるだけ大声で叫ぶこと!」と付け加えた。

2018年5月25日に行われた歴史的な国民投票は、3人のアクティビストが何年にもわたって準備してきた変革のチャンスだった。「投票日、私は必死になってたくさんの人に連絡して、投票所に行くようお願いしました」とミーガンは語る。「投票結果を見たときの気持ちは言葉になりません。衝撃でした。翌日になって、私はアイルランドを誇りに思い、この勝利のために私たちがしてきたすべての活動を誇りに思うことができました。この社会を大きく揺るがした『YES』の票は、あまりにも長い間この国を支配してきたカトリック教会の後進的な考えをアイルランド国民がもはや支持しないことを証明したのです。この勝利は、この国を進歩的で思いやりのある国にするために、アイルランドの国民はこれからも闘い続けていくだろうという希望を私に与えてくれました」と述べている。

3人は、あらゆる人が合法的に中絶できる新しい法律がすぐに制定されることを願っている。それでも、3人のアクティビストは、まだいくつもの障壁が残っているのもわかっている。中絶にまつわる社会の罪悪視、教会の力、そして修正第8条が廃止された後もカトリック教徒の多い病院は中絶医療を提供したがらないなどの問題が残されている。「それでも、今回の決定的な勝利は心の支えです」とミーガンは語る。「廃止運動をした人々はさらに前進していくはず。この闘いはまだ終わってないけど、闘い続ける準備はできています。仲間たちはこれからも運動を続けていくつもりです」

2016年10月、ポーランドの中絶の全面禁止法案に反対する全国的な女性ストライキに参加したクラクフ市のデモ参加者。

ポーランドの女性たちのストライキ

ポーランドでは1993年まで中絶は合法だったのですが、この年、カトリック教会は反避妊・反中絶を政治の主流に押し出すことにまんまと成功しました。ほどなく、ポーランドはヨーロッパで最も厳しい中絶禁止法をもつ国になりました。2016年、政府は新法を検討し始めました――中絶を全面的に禁止して、中絶した当人とそれを支援した医師を禁錮刑に処する罰則も含む内容でした。

この法律では、流産を引き起こしてしまう可能性が若干ある**羊水穿刺**などの標準的な出生前検査もできなくなると医師たちは反対しました。妊娠後期に危険なほどの高血圧症をもたらす子癇前症の女性の場合も、胎児ともども諦めるしかなくなるのです。帝王切開で出産させるという標準的な救命方法を用いた医師は、未熟児が助からなかった場合、投獄される可能性に直面することになりました。

ポーランドの女性たちは抗議のストライキを決行しました。およそ3万人の女性が、リプロダクティブ・ライツの喪失を悼む象徴として黒い服を着て首都ワルシャワの街を行進したのです。1975年にアイスランドで行われた女性ストライキと同様に、女性たちは働きに行くのも学校に行くのも拒否しました。ポーランドの60以上の都市で女性たちは抗議活動を行い、ヨーロッパ全域でも抗議者たちがデモをくりひろげて、支持と連帯を表明しました。

結果的にこの抗議活動は成功しました。ストライキのわずか3日後、政府は中絶禁止法案を撤回したのです。世論調査によれば、抗議活動は世論を動かしました――中絶禁止法案に対する強い反発が示されたばかりか、現行の中絶禁止法を緩和することへの支持も高まったのです。デモに参加したアレクサンドラ・ウロダクジックは、「これまでの反政府抗議活動では、私たちの親の世代が街頭に立っていました。でも今回は若者たちを動かすことに成功したし、私たちは本気で腹を立てています」［ポーランドの現状は185ページ参照］」と話します。

全国的な女性ストライキの一環として、中絶の全面禁止法案に反対するポーランドのヴロツワフ市のデモ参加者たち。

Women on Waves（ウィミン・オン・ウェーブス）——波に乗る女性たち

中絶は多くの国で犯罪とされています。でも、どの国の政府も中絶を違法にできない場所があります——それは国際水域です。国際水域とは、ある国家の海岸線から12海里（22・2キロメートル）以遠の水域のことです。船が国際水域にいるときは、その船籍国の法律が適用されます。つまり、レベッカ・ゴンパーツが所有するオランダの船の上では、中絶は合法だということになるのです。

レベッカは「Women on Waves（ウィミン・オン・ウェーブス）」の創設者兼ディレクターです。オランダ出身の医師でアーティスト、作家であり、女性の権利アクティビストでもある彼女は、中絶の権利を主張し、世界中の女性に安全な中絶を届けることにキャリアを捧げています。Women on Wavesは、中絶が法律で制限されている国に向けて船を出します。これまでにアイルランド、ポーランド、ポルトガル、スペイン、モ

「きっかけは、私がグリーンピースの船医として中絶が違法である国で働いていたときのことです。非合法の中絶を行って、大出血やショック状態で運ばれてくる女性をたくさん見たのです。法律と女性が死んでいく事実との関係に私は気づきました。**私はそれを見逃せなかったのです**」
――ドキュメンタリー映画「ヴェッセル」に登場する「Women on Waves」の創設者兼ディレクター、レベッカ・ゴンパーツ

2004年、「Women on Waves」はボーンディップ号をチャーターし、ポルトガルを目指して航海したが、安全保障上の脅威とみなされ、領海に入ることを禁じられた。

ロッコ、メキシコ、グアテマラを訪れました。地元の団体と協力して、中絶を望む女性を船に乗せ、その後、船が国際水域に移動すれば、女性たちは合法的に中絶薬を服用できるようになるのです。

レベッカたちのキャンペーンは船に乗り込む女性たちを直接的に救う以外にも威力を発揮します。中絶が非合法の（同時にたいていタブーでもある）国の波止場に中絶船を寄港させること自体が大きな話題になるからです。このキャンペーンは、スティグマをなくし、中絶が安全でごく普通の医療処置であることを広め、中絶に関する語りをうながすのです。ときにこれは劇的な変化ももたらします。ポルトガルで起こったことは、この作戦の威力を示しています。

15年前、ポルトガルの女性は厳しい中絶規制法に苦しめられていました。毎年、2万件以上の非合法の中絶が行われ、およそ5000人の女性が合併症で入院していたのです。ときには死亡する女性もいました。大勢が非合法の中絶を受けたために起訴されていました。2004年8月、現地グループの要請を受けたWomen on Wavesはポルトガルに向けて出航したのですが、ポルトガル政府は船が領海に入ることを禁止しました。国防大臣は、国家の安全保障に深刻な脅威を与えると主張して、国際水域で待機する船を監視するために2隻の軍艦まで送り込んだのです。

入港できなかったWomen on Wavesのメンバーたちは別の方法で支援を行うことにしました。中絶薬の一つであるミソプロストールは、胃潰瘍の予防や関節炎の治療のためにポルトガルの薬局で購入できました。そこでレベッカ・ゴンパーツはポルトガルのテレビ番組に出演して、ミソプロストールを入手し、望まない妊娠を終わらせるためにその薬を使う方法を解説したのです。Women on Wavesのサイトでミソプロストールを安全に使う方法を公開します、と彼女は宣言しました。その使用方法を知りたいと何百人ものポルトガル人女性がWomen on Wavesに連絡を取りました。ミソプロストールのページは、今でもグループのウェブサイトの中で最もアクセス頻度の高いページになっています。

アイルランド共和国から北アイルランドに中絶薬を運んだ中絶ドローン。ドローンの着陸後、二人の女性が薬を服用した。

中絶船が沖合に停泊していた数週間にわたってWomen on Wavesは何時間分もテレビ放映されました。ポルトガルだけでも700本以上の新聞記事に載り、中絶が全国で取り上げられました。船と乗組員がオランダに帰っていった2004年9月末に行われた世論調査では、国民の約8割が中絶規制法に関して国民投票を行うことを支持し、6割が中絶を非犯罪化すべきだと答えていました。あまりにも強い国民の支持をもはや無視することはできなくなりました。2007年に実施された国民投票では中絶の合法化への支持が多数を占め、政府は法律を改正し、妊娠10週目までの中絶を合法化したのです。

2015年に行われたWomen on Wavesのキャンペーンでは、今度

インドネシアのジョグジャカルタで行われたフラッシュモブには130人以上が参加した。このイベントでは、安全に妊娠を終わらせるための中絶薬の入手方法や使用方法に関して情報を提供する安全な中絶ホットラインの電話番号が告知された。

は船ではなくドローンが国境を越えて中絶薬を運びました。ドローンはドイツから飛び立ち、オーデル川を渡ってポーランドのスルビツェに着陸したのです。二人のポーランド人女性が中絶薬を服用しました。2016年には、アイルランド共和国から北アイルランドに中絶ドローンが飛び、両国の女性の連帯が示されました。また、Women on Wavesは、遠隔操作の高速モーターボートを使ってアイルランドの女性に大量の中絶薬を届けたりもしました。アイルランドの国民投票からわずか数日後の2018年5月には、アムステルダムから操作する中絶ロボットを使って、北アイルランドのベルファストに薬が届けられました。

Women on Wavesは、さらにチリ、ペルー、ベネズエラ、アルゼンチン、パキスタン、インドネシア、ケニア、タイ、ポーランド、モロッコなどで現地のアクティビストや女性グループと協力して、安全な中絶ホットラインの立ち上げを支援しています。ホットラインには、妊娠を終わらせるためにミソプロストールを入手する方法や、服薬の方法を指導できるボランティアが配置されています。

Women on Web（ウィミン・オン・ウェブ）——ウェブに乗る女性たち

「Women on Web」は、中絶に関する質問に答えたり、情報を提供したりする国際団体です。ポーランドやアイルランドなどのヨーロッパ諸国をはじめ、南アメリカ、中東、アフリカ、アジアの多くの国々で世界中の女性に中絶薬を提供しています。

Women on Webは、Women on Wavesの姉妹団体です。カナダ人の中絶医でありWomen on Webの理事も務めているエレン・ウィーブは、「メディアに出るたびに、インターネットにはWomen on Webがありますよと伝えると、何千人もの女性たちが中絶薬を得ようと連絡してくる」と語ります。

この組織の仕組みは単純で有効です。合法的に安全な中絶のできない国に住む女性たちは、オンラインで相談できる医師に取り次がれます。オンライン診療——オンラインでその女性の母国語で書かれた質問に答えていくこと——が終わると、女性たちに中絶薬を配送する手配が行われます。妊娠10週未満の女性たちにとって、中絶薬は安全で効果的な中絶方法になるのです。

Women on Webで中絶薬を手に入れた女性たちは、可能であれば寄付をしてほしいと求められます。ただし、寄付金を払えない人でも断られることはありません。寄付ができる女性たちから得たお金で、貧困に苦しむ女性たちの中絶薬の費用がまかなわれる仕組みになっているのです。

Women on Webでは、中絶のスティグマと闘うために女性たちが中絶の体験を共有する場も提供しています。体験談は、望まない妊娠をした世界中の女性たちの人生や選択を垣間見る機会も与えてくれます。

Women on Webは、多言語のステッカーも提供しています。女性

「Women on Web」は妊娠を安全に終わらせるために用いる中絶薬を手に入れ使用するための情報を提供する「セーフ・アボーション」ステッカーを配布している。10言語以上のステッカーが作られていて、ウェブサイトから印刷することもでき、公共の場に貼り出されている。

たちに医療相談をしたり、中絶薬をオンラインで入手したりする方法を知らせるために、ステッカーを印刷して公共の場所に貼れるようにしているのです。

もう一つ別の非営利団体「Women Help Women」も同様の仕組みで、世界中の女性に中絶薬や避妊具を提供しています。Women Help WomenとWomen on Webは、毎年何千人もの女性に希望と支援を提供し、数多くの安全でない中絶を防ぎ、大勢の少女や女性たちの生命と未来の健康を守っています。

一方、残念ながら、自暴自棄になっている女性たちをだまそうとする詐欺サイトも数多く存在しています。中絶薬を送ると約束して人々からお金を奪い、効果がない薬や危険な薬を送ってきたり、まったく何も送ってこなかったりするサイトもあるので注意してください。

ヘイザル・アテイは、トルコの若きアクティビスト。「セクシュアル&リプロダクティブ・ライツのための青年連合（YCSRR）」という若者の国際組織に所属している。トルコでは人工妊娠中絶は合法であるものの、2012年に首相をはじめとする政府関係者が中絶に反対する発言をしたため、新たな中絶禁止法が施行されるという噂が流れた。国中の女性たちが抗議活動を行ったために法律は変わらなかった一方で、中絶への罪悪視が強まってしまい、公立病院は患者を追い返すようになり、中絶は受けにくくなった。ヘイザルは、「政府が中絶の権利を攻撃してきたことに、私たちは震え上がったし、すでに得られた権利であっても、自分たちの権利のために闘い続けるべきだということを教えられました」と語った。

ヘイザルはモロッコで行われた「Women on Waves」のキャンペーンを知り、すぐさま中東と北アフリカの女性のためのヘルプデスクの設置に取り組んだ。「自国の法律で制限されていようとも、自分の未来を自分のものにしようとする女性たちの決意に心から感銘を受けたのです」とヘイザルは言う。

現在、トルコの政情は厳しく、多くの人権擁護派の人々が逮捕され、投獄され、脅されている。2016年のクーデター未遂以来、一部のフェミニストの団体や雑誌社、新聞社などの活動が禁じられてしまった。数多くのウェブサイトも閲覧を禁止され、その中には「Women on Web」も含まれている。

「こんな状況でも、私はまだ未来に希望を抱いています」と、ヘイザルは語る。「かつては良い法律もあったということに希望を見出しているし、抵抗していくことを誓っているすばらしい人々がいることにも希望を見出しているのです」

2016年、ヘイザル・アテイはトルコの自宅からアイルランドの中絶ドローン・アクションに駆けつけ、修正第8条の撤廃キャンペーンを支援した。

健康と平等と正義、選択のために。第8条は撤廃！

「ユース・テスティファイ（証言する若者たち）」という新たなリーダーシップ・プログラムは、中絶の経験があり、自分の物語をわかちあいたい若者たちのために企画された。

舞台裏：社会変革への取り組み

裁判のドラマチックな勝訴判決は、世界中で大きなニュースになるものです。しかし、政府が中絶の脱犯罪化を検討したがらないばかりか、中絶の権利について論じることさえ嫌がっているような国も少なくありません。そのような国々では、多くの活動が水面下で行われています。世界中のアクティビストたちは、多くの人々に中絶について語ることをためらわせているスティグマをなくし、タブーを克服するために努力しています。彼女たちは**セクシュアル&リプロダクティブ・ヘルス&ライツ**（SRHR）について語り合う場を作っています。フェミニスト団体や女性グループ、医療ネットワークなどに、このテーマを議題として取り上げるよう働きかけたりもします。今、望まない妊娠で困っている女性を支えるための支援グループを立ち上げたり、女性に中絶薬について知ってもらうための教育キャンペーンやホットラインを運営したりすることもあります。彼女たちの活動は、短期的には絶望に陥りそうな数多くの女性たちを助け、命を救っていますが、長期的には、人々の態度を変えるのを助け、最終的には合法的な中絶を求めるキャンペーンを行う国内の運動を広めていくことに貢献しているのです。

マダガスカルの若きアクティビスト

ラバ・アンドリアニナ・ランドリアナソロは、アフリカ大陸南東部に位置する大きな島国、マダガスカルで、「SRHR」を擁護する活動を行っている。「この国では伝統がとても重んじられています」とラバは説明する。「この国では、セックスはタブーなのです……マダガスカルでは、セックスについて話したり、情報にアクセスしたりできる思春期の若者はあまり多くありません」。けれども、10代のラバは好奇心旺盛で、友人と一緒に図書館に行った。「友だちと本を読んで、自分たちだけでいろんなことを学びました。性的アイデンティティとは何か、性交とは何か……でも、避妊や中絶などの基本的な情報は何もわからなかったのです」。若者とセクシュアリティの問題について学ぶうちに、ラバはSRHRの概念に興味をもつようになり、人権を現実のセクシュアリティとリプロダクションの分野に応用することにした。「17歳のときに、マダガスカルの青少年や若者には支援が必要だということを確信したのです」とラバは言う。「それでいとこと一緒に、マダガスカルの若者が情報にアクセスし、自分たちの権利について学べるために活動する若者主導の組織を設立しました」

現在24歳のラバが設立した「ユース・ファースト（若者第一）」は、マダガスカルで最も影響力のある若者主導の組織の一つになっている。ラバはプロジェクト・マネージャーとして働きながら、マダガスカルの少女や若い女性をエンパワーするためのリーダーシップ・プログラムを開発した。彼女は人権問題に熱心で、すべての人が平等であることの重要性を信じている。「でも、マダガスカルでは多くの若者が同じ機会を得られていません。若者が自分の身体のことを決められるように、SRHRの情報を含む質の高い教育を行う必要があります」とラバ

は語る。

マダガスカルでは、性教育は高校のプログラムに含まれていないため、10代の若者は友人から情報を得ることが多い。避妊具も簡単には手に入らないため、望まない妊娠をして結婚するしかないと思っている人たちもいる。一方、情報提供や中絶薬の送付を行っている国際機関の支援を受けている人々もいる。

ラバは包括的性教育を提唱している。「若者は情報を得れば得るほど、自律的に判断できるようになります」。彼女は自国の中絶権の将来についてはあまり楽観的ではない。「中絶は今も違法だし、今後も違法であり続けるでしょう」と彼女は言う。「希望を捨ててはいないけど、状況が変わるにはまだまだ時間がかかると覚悟しています」

中絶はラテンアメリカやカリブ諸国のほとんどで厳しく制限されているか、全面的に禁止されている。この地域の妊産婦死亡の少なくとも10%は、安全でない中絶に起因している。妊娠を終わらせただけで刑務所に入れられることもあるベネズエラでは、危険な中絶が若い女性の2番目に多い死因になっている。

イザベル・ペレス・ウィツクは、変革を求めて活動しているベネズエラの若きSRHRアクティビストだ。「中絶を必要としている人たちのために何かしたいと決意したのは、この問題が私たちの教えられてきた『女は母親になるものだ』という女らしさの観念に対抗するものだと気づいたから。その観念に従うなら、中絶をすることは私たちに課せられた人生の目的を打ち壊すことになってしまうのです」

2014年、イザベルは「安全な中絶のための情報ネットワーク(RIAS)」という草の根のフェミニスト組織に参加した。RIASは24時間体制のヘルプラインを運営しており、電話をかけてきた人に安全な中絶に関する情報を提供している。一方で、中絶の悪いイメージを拭い、中絶の権利を支持する人々を増やすための活動も行っている。イザベルは安全な中絶のためのヘルプラインのスタッフを務めた。「RIASに参加したことで、中絶のスティグマの重圧で数多くの女性が苦しんでいることがわかりました」と彼女は語る。「世間では中絶はまったくもって衝動的なものだと思われているけど、実際には何よりも責任のある決断の一つなのです。時間も勇気も必要で、目を見開いて行うものなのです」

電話をかけてくる女性たちに中絶薬の使い方を教えた後、イザベルはいつもちょっとアンケートに答えてもらえないかとお願いしている。

「最後の質問は、中絶の法律に関するもの。中絶は合法であるべきだと思うかどうかです。興味深いことに、ほとんどの女性がためらいもなく『ノー』と答えるのですが、ちょっと間を置いて意見を変える人もいます……この電話は、情報を提供するだけの場ではなく、この問題について話したり、耳を傾けたり、分析したりする場でもあるのです」

RIASでの活動後、イザベルは若い母親たちを支援したり性教育を行ったりする地元グループのインターンになった。その後、「家族計画の市民協会（PLAFAM）」でも働いた。現在、彼女は若者のSRHRの活動への参加を促進し、ピア・エデュケーション*6を用いた活動をしている。また、若者が**ハームリダクション・モデル**に基づいたサービスを利用できるようにするための支援も行っている。

「法律のレベルでは大きな変化はまだ起こっていませんが、重要な変化を起こすべき時がきています」とイザベルは語る。「私たちはみな、自分が価値のある存在であること、言いたいことがあること、その声を安全に届けられる場所を必要としていることを理解すべきです。そのような空間がないのなら、それを求めて闘わなければならない。そんな空間を作らなければならない。それを作っていく唯一の道は、みなで闘っていくことなのです。だから、耳を傾けて、つながって、変革に参加することです！」

*6　何らかのテーマについて同世代や立場が同じ者同士が「正しい知識やスキル、行動」を教え合う手法。

BE ORGANIZED and BE MANY

組織化し、仲間を増やそう

-HAZAL ATAY

ヘイザル・アテイ

#safeabortion
#prochoice
#reproductiveFreedom
#IstandwithPlannedParenthoo
#1in3speaks
#shoutyourabortion
#womensrighttochoose
#abort the stigma
#celebrateabortionproviders
#abortolibre
#humanrights

CHAPTER FIVE

第5章

進むべき道：最前線から届いた物語

カナダとアメリカでは、中絶は何年も前から安全で合法的でごく普通の医療処置になっています。それでも、まだまだやるべきことは山ほどあります。中絶というテーマには沈黙と社会的な烙印（スティグマ）がつきまとっているので、誰にとっても自分の経験を語ることは容易ではありません。しかも、中絶が合法でありながら利用できないこともあるのです。人々は──特に若者や最も疎外された人々は──中絶したくても障壁に妨げられることがあります。アンチチョイスの政治家やロビー団体は、人々がこれまで獲得してきた成果を台なしにしようと迫ってきます。それでも、リプロダクティブ・ライツを守ろうと決意を固めている人々は、中絶のスティグマをなくし、誰もが合法的かつ安全な中絶を受けられる世界を実現するために、さまざまな最前線で努力を続けています。本章ではそんな人々の物語を紹介します。

選択権（チョイス）から性と生殖の正義（リプロダクティブ・ジャスティス）へ

1960年代、70年代、80年代を通じて、フェミニストたちは「チョイス」という概念を掲げて活動してきました。今日でも人々は「プ

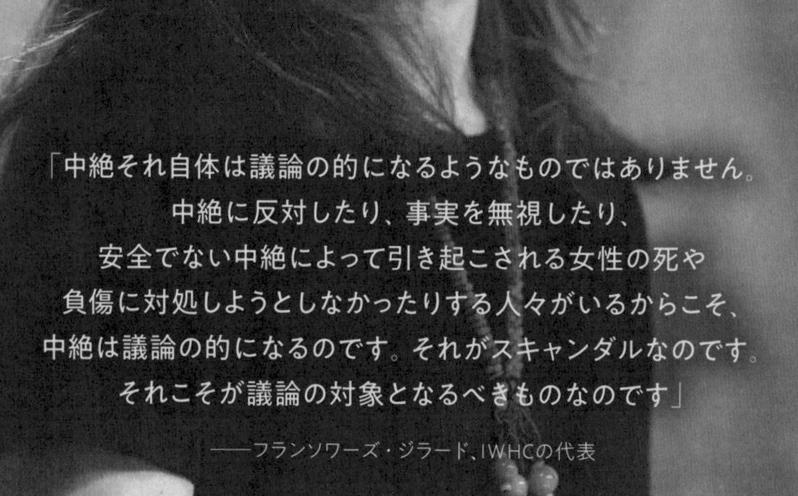

「中絶それ自体は議論の的になるようなものではありません。
中絶に反対したり、事実を無視したり、
安全でない中絶によって引き起こされる女性の死や
負傷に対処しようとしなかったりする人々がいるからこそ、
中絶は議論の的になるのです。それがスキャンダルなのです。
それこそが議論の対象となるべきものなのです」

——フランソワーズ・ジラード、IWHCの代表ロチョイス運動」や「選択する権利」について語っています。でも、1990年代に入ると、アメリカの有色の女性たちは、チョイスという言葉や概念の限界を指摘する声を上げ始めました。チョイスという言葉は、妊娠を回避し、中絶を受ける女性の法的権利ばかりにほぼ常に焦点が合わされてきました。その一方で、有色の女性たちは歴史を通じて、安全な共同体の中で子どもを産み、育てる権利を求めて闘わねばならなかったのです。彼女たちによれば、中絶や避妊が合法で安全であるべきなのは当然だとしても、それだけでは不十分だし、最も弱い立場にある人々のニーズには応えることができないし、たとえ中絶が合法でも、何百キロも先のクリニックには通えない人にとって、それは本物の選択肢なのか、避妊具を買う余裕がなく、子どもを育てる余裕もないために中絶しなければならない女性にとって、それは本物の選択肢なのだろうか、と問いかけたのです。

ジョージア州アトランタを拠点とする「シスターソング:有色人種の女性リプロダクティブ・ジャスティス・コレクティブ」は、1990年代末に設立されて以来、リプロダクティブ・ジャスティスを広めるために指導的立場を務めている。

1994年、シカゴの黒人女性のグループが作られ、最も疎外された人々やコミュニティのニーズに的を絞った新しい全国的な運動について話し合いました。彼女たちはこのグループに「性と生殖の正義（リプロダクティブ・ジャスティス）を支持するアフリカ系の女性たち」と名づけました――このとき、性と生殖に関する権利（リプロダクティブ・ライツ）を変革する新たな言葉が誕生したのです。

「シスターソング」は、リプロダクティブ・ジャスティスの理論を発展させ、普及させるために主導的な役割を果たしています。ロレッタ・ロス、ルース・ロドリゲスなどの女性たちが1997年にアトランタで設立した「シスターソング」は、リプロダクティブ・ライツの概念を社会正義の文脈の中に位置づける新たな局面をもたらしたのです。

スピークアウト

「『チョイス』という言葉は、私たちの生きた経験を考慮していません。私たちに影響を与え、選択肢を狭めている社会的な要因を考慮していないのです。中絶できるだけの余裕がなければ、選択肢はなくなります。仕事を休めなかったり、遠いクリニックまで移動していく手段がない場合も、選択の余地はなくなります。また、お金を貯めるのに時間がかかりすぎても、選択肢はなくなります。子どもを産む余裕がなければ、選択肢はなくなります。チョイスという言葉は、人々が決断を下す際の社会的現実や状況を無視しているのです。多くの人にとって、選択肢などありません」

——レネー・ブレイシー・シャーマン、（リプロダクティブ・ジャスティスのアクティビスト、作家、中絶経験の語り部）

リプロダクティブ・ジャスティスとは、誰もが子どもを産む権利、産まない権利、そして安全で健康的な環境で子どもを育てる権利をもてることを指しています。プロチョイスの運動と同様に、リプロダクティブ・ジャスティスは、中絶が安全かつ合法的で受けやすいことを要求しますが、そこにとどまりはしません。リプロダクティブ・ジャスティスを完全に達成するには、最も疎外された人々を含むすべての人々に、中絶だけでなく、性教育、避妊、暴力からの保護、子育ての支援、子育てのための安全な住まいなどを十分に保障する必要があります。

リプロダクティブ・ジャスティスを達成するには、「人々の生活」というより大きな背景を理解することなしに、また人々が直面しているさまざまな形の抑圧に対処することなしに、中絶する権利の問題だけを見るわけにはいかないのです。この新たな枠組みは、人々が中絶についてどのように考え、どのように語り、どのように唱道していくかに影響を与えています。

• ウィリー・パーカー

中絶への反対は、時に人々の宗教的信念と結びついています。一方、リプロダクティブ・ライツや中絶を支持している宗教団体もあります。第2章で紹介したとおり、「聖職者相談サービス（CCS）」

ウィリー・パーカーは中絶を行う医師であり、情熱的な作家及び講演者でもある。彼は著書『生涯の仕事』で中絶の権利とリプロダクティブ・ライツを称えている。

は中絶合法化以前から女性たちの中絶を支援していました。さらに、その地下ネットワークから発展したのが「リプロダクティブ・チョイスを支持する宗教連合（RCRC）」でした。RCRCは、リプロダクティブ・ヘルス&ライツ、そしてジャスティスのために、多様な組織、宗教、神学を代表する団体を統括しています。

今日、中絶を行う人々の中には、自らの宗教的信念に反してではなく、むしろ宗教的信念のために、この活動を選んで行う人々もいます。その一人が、RCRCの指揮者ウィリー・パーカー医師です。

ウィリー・パーカーは、アラバマ州バーミンガムの［黒人が］分離された居住地の出身で、黒人のキリスト教教会のコミュニティで育てられました。そこでは「予定外の妊娠は、公衆の面前で侮辱されたり、教会から追放されたりするのに十分な理由だった」と彼は振り返ります。医師としてのキャリアを積んできた年月のうちの最初の半分で、彼は中絶手術を拒否していました。ところが、時を重ねるにつれ、また、中絶を希望してくる患者たちと対話を重ねるにつれ、彼は何もしていない自分に違和感を覚えるようになりました。「私は女性には選択する権利があると信じていました」と彼は振り返ります。「しかし、自分が中絶反対派に加担しているということに気づかされたのです。私は最前線に立っていなかったのです」

ウィリー・パーカーは、キリスト教徒としての信念と価値観、そしてキング牧師の力強い言葉に深い影響を受けていました――パーカーが育った場所から20キロメートルも離れていない刑務所の独房でキング牧師はこう書いていたのです――「どこかで行われている不正義は、すべての場所の正義に脅威を与える」と。そして2002年、ハワイに住んでいたパーカーは、不正義を目の当たりにしました。彼が働いていたクリニックの管理者が、中絶手術の提供をやめることにしたのです。そうなると、私費で医師を雇える人しか中絶手術を受けられなくなります。パーカーは、それまでクリニックで提供される中絶を受けていた貧しい女性たちの苦悩に深い懸念を寄せていました。「彼女たちが安全で合法的な処置を受けるのを拒否されるなんてことがあってはなりません。それは正しいことではないと思ったのです」

パーカー医師は、「リプロダクティブ・ヘルスのための医師の会」の会長であり、「リプロダクティブ・チョイスを支持する宗教連合」の指導者の一人でもある。

その日、パーカーは怒りと悔しさを胸に家路につき、その夜、彼は慰みと答えを求めてキング牧師の最後の演説「私は山頂へ行った」の録音テープに耳を傾けました。善きサマリア人の物語と、それに関するキング牧師の考察に、彼の心は強く揺さぶられました。

「まるで光に打たれたかのように魂がきらめいたのです……地球がぐるりと回り、天地がひっくり返りました。それは、キリスト教徒である私が中絶を行うのは正しいことかという問いではなく、キリスト教徒である私が中絶を行うことを拒むのは正しいことかという問題だったのです」。翌日、彼は同僚に中絶の方法を学びたいと頼み込み、ほどなく徹底的に中絶医療の訓練を受けました。以来、彼は診療医としての仕事を放棄して、ミシシッピ、アラバマ、ジョージアの各州で中絶手術に専念するようになったのです。
「奴隷の子孫として南部で育ったアフリカ系アメリカ人の私には、自分の身体、運命、人生を自分の自由にできないのがどういうことかは容易にわかるのです」と彼は語ります。「中絶医療の提供者として、私は神の仕事をしていると信じています。中絶を行うこと、そして中絶を望む女性たちのために発言することは、私の天職です。これこそ私のライフワークなのです」

すべての人が中絶を受けられるようにするために：多様性と中絶医療

妊娠する可能性のある人は、誰であろうと望まない妊娠に直面する可能性があります。それなのに、中絶を受けることが難しい人々もいます。カナダやアメリカでは、中絶は合法なのに、地方や遠隔地に暮らしていたり、中絶が制限されている州や地域に住んでいたりするために、実際には中絶を受けられないことがあるのです。低所得者やトランスジェンダーの人々、障がいのある人々、移民や難民、非正規雇用の人々は、さらに多くの障壁に妨げられています。

• 遠隔地とテレメディシンの可能性

カナダは国土が広く、人口が分散しているため、数多くの地方のコミュニティで、中絶を含む医療サービスが得られないことが問題になっています。そうした地域で中絶医療を確保する手段として、遠隔医療（テレメディシン）で薬による中絶を行う方法が注目を浴びています。

1993年、エレン・ウィーブはカナダで初めて薬による中絶を提供する医師になりました。彼女は中絶のテレメディシンの開拓者のひとりです。「ブリティッシュコロンビア州では、テレメディシン

エレン・ウィーブは、内科的中絶をカナダで行った初めての医師であり、彼女のパイオニア的な臨床試験によってミフェジマイソは承認された。

を利用した薬による中絶のおかげで、小さなコミュニティで暮らす人々も中絶を受けやすくなりました」と彼女は語ります。「医者はスカイプやフェイスタイムで患者を診察できるし、同じ手段を使って患者はカウンセラーに相談できます。血液検査は地元の保健所で受けられます」。妊娠のごく初期の患者たちなら、中絶薬を自宅に送ってもらって自分で中絶することも可能になりました。

ところが、テレメディシンと中絶薬を活用して中絶のアクセスを向上する道は、まだあまり開拓されていません。カナダでは薬による中絶の普及が遅れているのです。RU486として知られる中絶薬は、フランスでは1988年に承認され、アメリカでは2000年に承認されているのに、カナダでミフェジマイソ[*1]として広く使えるようになったのはごく最近のことにすぎません。当面、カナダ国内でこの

*1　ミフェプリストン(RU486)とミソプロストールの2薬をセットにしたカナダの中絶薬の製品名。

薬を自分の患者に処方している医師はごくわずかです。

オタワにある権利擁護団体「性の健康と権利を支持するアクション・カナダ」のエグゼクティブ・ディレクターであるサンディープ・プラサドは、中絶専用クリニック以外でミフェジマイソを処方している医師は知らないと証言します。「もっと大勢の家庭医（ファミリードクター）が処方すべきです……ミフェジマイソの大きな可能性をちゃんと実現していかなければなりません」

問題の一つは、内科的中絶に関する情報が広まっていないことです。「女性たちは薬による中絶という選択肢を知っているのかしら。いったいどうやって見つければいいの。聞いたこともないものをどうやって検索できるというの」と、エレン・ウィーブは嘆きます。それでも、彼女のように中絶薬の認知度を高めようと努力を続けている人々がいます——そう遠くない将来に、テレメディシンがより多くの人々にとって真の選択肢になることを願いつつ。

• トランスジェンダーと中絶

望まない妊娠に直面する人の多くは女性ですが、そうではない人々もいます。トランスジェンダーの男性の多くは子宮をもっているし、妊娠することもできるからです。ただ、こうした男性たちにとって、性と生殖に関する保健医療サービスを受けることには大きな障壁が立ちはだかっています。さらに、男性でも女性でもない性自認の人々も大勢います。ノンバイナリー、**アジェンダー**、**ジェンダークイア**、**ジェンダーフルイド**、その他の**ジェンダーアイデンティティ**を自認する人々もいます。そうした性自認の人々の数は急速に増えているし、今日の10代などの若者たちが男女二元論に挑戦していることを思えば、今後も増加していくと思われます。

妊娠する可能性のあるトランス男性やノンバイナリーの人々にも、がんの定期検診や避妊、望まない妊娠を終わらせるための中絶など必要なケアを受けられるようにしなければなりません。トランスやノンバイナリーの人々にとって、自分の性自認や身体のありようを

「個人的には、
トランスやジェンダー・ノンコンフォーミング[*2]の私たちも
制約的で抑圧的な反中絶法に影響されていることを
知ってほしいと思っています。
リプロダクティブ・ライツが語られるときに
忘れられがちな者の一人として、
私はあえて顔を出して自分の物語を語っています」

——ジャック・クエミ・グティエレス、
『ウィー・テスティファイ：私たちの中絶物語』より

支援してくれるセクシュアル・ヘルス・サービスはめったにないので、ケアを求めるのを諦めたり、自分の性自認を認めてくれないケアを我慢して受けたりするしかない場面もあります。

中絶を——さらに避妊やその他のヘルスケアを——必要とするすべての人々により良く提供していくために、医療スタッフ、教育者、支援者にできる簡単な方法があります。それはトランス・インクルーシブな言葉[*3]を使い、トランスジェンダーの人々のニーズを目に見えるようにすることです。病院やクリニックでは、使われる書類で不必要なメッセージを発してしまうことがよくあるので、クリニックの受付や同意書では「女性」ではなく「患者」と表記しておきます。医師や看護師の側から患者に対して、どんな名前で呼ばれたいのか、どんな**ジェンダーの代名詞**を使ってほしいかと直接尋ねてみても良いでしょう。教育がすべての鍵を握っています——この種の問題に慣れていない人は、間違ったことを口走らないかと不安に陥りやすいからです。トランスジェンダーの問題に特化したスタッフのトレーニングを行っておけば、より利用しやすく、適切で、インクルーシブなサービスを提供することが可能になるでしょう。

• 障がい者の権利と中絶

障がい者の権利を主張している人々は、中絶の権利運動とは複雑な関係に置かれることがあります。出生前診断とダウン症や二分脊椎症［生まれながらにして脊椎の形成不全があり、さまざまな神経障がいの現れる可能性がある疾患］などの胎児の選択的中絶をめぐる問題は難しく、しばしば痛みを伴う議論を巻き起こしてきました。また、あらゆる種類の障がいをもつ人々が強制的な不妊手術の対象にされてきた歴史もあります。障がいをもつ人々は、性行為をする権利、妊娠

＊2　トランスジェンダーと従来のジェンダー区分に合致しない人々
＊3　トランスやノンジェンダーを排除しないための、「夫婦」「父母」のような性的二分を前提としない、「パートナー」「親」のようなジェンダーニュートラルな表現。

する権利、妊娠を継続する権利、子どもを育てる権利を求めて闘わねばなりませんでした。それでも、2つの運動には共通項もあります。障がい者の権利とリプロダクティブ・ライツのどちらの支持者も、自分の身体は自分の好きに扱えるべきだし、政府は人々の個人的なリプロダクションに関わる決定に干渉してはならないと考えています。

問題の一つは、障がい者はこの社会で性的な存在と見られていないために、性教育やリプロダクティブ・ヘルスケアの対象外にされがちなことです。でも、障がいをもつ人々も望まない妊娠を経験するし、中絶を受けようとすると他の人々以上に多くの障壁に直面することが多いのです。診察を受けようとしても交通手段がないこともあります。入り口までたどり着けないような医療施設や車椅子の患者を安全に運ぶ手段のないクリニックもあり、スタッフが手話を理解できないこともあるのです。さらには、患者の選択肢を支持しない介護者に頼らざるをえない場合もあります。

すべての人が、自分や家族のために最善の決断をするのに必要なリソースや必要な情報やサービスを得られるようにしなければなりません。誰もが包括的な性教育を受けられるようにし、誰もがクリニックやリプロダクティブ・ヘルス・サービスにアクセスできるようにすることです。これは、障がい者の生活が尊重され、その声に耳を傾けることも意味しています。また、出生前診断で胎児の障がいが判明した場合には、当事者たちに、同じ障がいをもって現に生きている人々の現実的な視点も含めて、可能な限り正確で完全な情報を提供していく必要があります。そうした状況に置かれた人々が中絶を希望するなら、支援体制の整った中絶医療を提供します。逆に、妊娠継続を望むなら、本人やその子どもたちや家族が適切な医療、教育、社会的支援を受けられるようにすべきです。

• 移民、難民、不法滞在者

移民や難民がリプロダクティブ・ヘルスケアや中絶を必要とする

「ジェーン・ドウ」の裁判が2017年10月に行われた際に、ワシントンDCの裁判所の前に集まった支援者たち。ソーシャルメディアでは数多くの人々が#JusticeforJane（ジェーンに正義を）を主張した（ローリン・グティアラス @rewire news）。

場合には、言葉の壁や経済的な問題、文化的に適切なサービスや通訳などが不足していることは、どれも大きな障壁になってしまいがちです。不法滞在者が中絶を受ける権利がアメリカ政府によって直接的に攻撃されたこともあります。2017年の秋、メディアでジェーン・ドウの仮名で呼ばれた17歳の少女は、中絶を受けるのを妨害され、収容されていたシェルターから出ることさえ阻止されたとして裁判に訴え出て注目を浴びました。連邦政府と州政府は、この少女は不法滞在者なので、アメリカ国内で中絶を受ける権利は保障されないと主張しました。この10代の女性は、最終的に中絶を受けることができたのですが、その後、同様のケースが3件確認され、アメリカ自由人権協会が裁判を起こしています。原告たちはそれぞれ仮名で、ジェーン・ロウ、ジェーン・ポウ、ジェーン・モウと呼ばれていますが、他にも権利を否定されている人々がいると見られています。アメリカでは数多くの妊娠した10代の若者が不法滞在

スピークアウト

「政府はシェルターで必要なものはたいてい提供してくれますが、中絶のためにシェルターを出ることを許さなかったのです。その代わり、中絶しないように説得してくる医者に会わせたり、胎児写真を見せたりしてきました。私の知らない人たちが、私の考えを変えさせようとしてくるのです。私は自分で決断したのだし、それは私と神の間で決めたことです。あれやこれやがあったけど、私は自分の考えを変えませんでした。誰に対してであろうと自分にとって正しい決断を恥じたことはありません。私は、自分と似たような状況に置かれている他の女の子に、どうすべきだとは言いません。その決断は彼女だけのものだから」
——ジェーン・ドウ、後見人を通じた公式声明の中で

者として収容されており、トランプ政権はこうした人々に中絶を受けさせないためにあらゆる手段を講じているようです。

草の根の活動

中絶が合法化される前から、人々はグループを作り、中絶する人を助けるための資金集めを行ってきました。草の根のグループは、今日でも人々が中絶を利用できるように支援活動をしています。

• 中絶基金

ハイド修正条項によってアメリカのメディケイドで中絶費用をまかなうことが禁止されたとき、中絶費用を払えない人々のために中絶基金と呼ばれる数々の組織が作られました。「全米中絶基金ネットワーク」は、いくつかの個別のグループが互いに資金を融通しあい、共有すべきだと判断したことで始められました。現在、38州に70の中絶基金があり、中絶費用を払えない人々からくる毎年10万件以上の問い合わせに応じています。中絶基金は、資金の提供だけではなく、相談相手や宿泊場所、見知らぬ街のクリニックまでの送迎など、実際的なサポートも提供するところまで活動を広げています。

あのとき私が選択したから、今、私の子どもたちは
自分たちを生活の中心にしてくれる両親に
恵まれているのです。

大学を卒業できたことで、
私は家族を養うだけでなく、
自分のキャリアを始めることも
できました。

世界中の人々が私と同じ
選択をできることを確実にするために、
私は2015年に「全米中絶基金ネットワーク」に参加しました。

私たちは安全で合法的な中絶を求めるキャンペーンを行うだけでなく、資金や交通手段、
法的サポートなど、数多くの支援を、それを必要としている人々に提供しています。
ABORTION
ACCESS NOW
中絶が私と私の家族にとっていかに
重要であったかを私は知っています。
私は他の人々も自分でその選択が
できると信じています。

シャノン・ハーディはノバスコシア州ハリファックスのソーシャルワーカーで、中絶を受ける人々をサポートする中絶付き添い「ドゥーラ」のボランティアでもある。彼女は「中絶支援サービス・アトランティック（元MASS）」を運営している。

• カナダ大西洋州[*4]で中絶の手段を確保する

カナダの州の一つであるプリンス・エドワード島州では、長い間、中絶を受けにくい状態が続いていました。2012年、ノバスコシア州ハリファックスで性教育を手掛けていたシャノン・ハーディは、島の住民が自分たちの州内で中絶を受けられず、妊娠を終わらせるためにハリファックスまで数時間かけて来なければならないことを気にかけていました。シャノンはそうした人々を支援する組織を立ち上げようと決意して、数人のオーガナイザーと共に「マリタイム中絶支援サービス（MASS）」を設立しました。島側のボランティアが、この島とニューブランズウィック州を結ぶ橋まで車で送り、ハリファックスのボランティアが迎えに行って病院まで届け、安全で無料の宿泊施設を提供したのです。2017年、ついにこの島でも中絶が行われるようになったので、MASSの役割は変わっていきました。最近では、このグループ——現在は「中絶支援サービス・アトランティック」と呼ばれています——は、主に情報提供を行っ

*4　カナダのうち大西洋に面した4つの州の総称。

ています。ボランティアはリプロダクティブ・ジャスティスに関心のある人々で、その多くが看護師や医学生です。メンバーには、過去にMASSに助けてもらったことのある人々も含まれています。

中絶医療にアクセスするためのクラウドファンディング

長年にわたって、カナダの大西洋に面したニューブランズウィック州のフレデリクトン市に「モーゲンテラー・クリニック」という民間の中絶クリニックがあった。ヘンリー・モーゲンテラー医師はこのクリニックを建設し、隣の建物を買い取って猛烈な反対運動や抗議をしてくる人々から嫌がらせを受けながらも、運営を続けてきた。ところが、モーゲンテラー医師の死後、クリニックは閉鎖されてしまった。

ニューブランズウィック州の医師エイドリアン・エドガーは、この地域の人々が中絶医療にアクセスしにくいことを心配していた。中絶はモンクトン市とバサースト市の2つの公立病院まで行けば受けることができたが、フレデリクトン市に住む人々にとってはそこまで車で2～3時間もかかるのだった。しかも、ニューブランズウィック州の病院は強制的なカウンセリングと手術の間に待機期間を設けていたので、患者たちは長い道のりを2度通っていかなければならなかった。

そこでエイドリアンとパートナーのヴァレリー・エデルマンは、多様な人々――「リプロダクティブ・ジャスティス・ニューブランズウィック州」のメンバーたち――と共に、この州で唯一の民間中絶クリニックをどうすれば再開できるか話し合った。「私たちは輪になって座り、ブレーンストーミングをしたのです。何ができるのか？　すると誰かが言ったのです。オンラインで資金集めができるかも、と。あっと言う間に、私たちはそれを実現し、世界中から寄付が集まってきました」

募金ページのメッセージを見ると、キャンペーンがいかに支持されているかがわかる。他のクリニックから、いくつも連帯のメッセージが寄せられていた。また、自分自身が中絶を経験していて、他の人にも同じ選択肢を与えたいと思った人たちからのメッセージもあった。違法中絶時代を覚えている人からのメッセージもあった。

p.144に続く

スピークアウト

「クリニックに行くお金がなければ、中絶は真の選択肢ではなくなります。選択肢の考え方を広げる必要があるし、**もし人々に選択肢を与えるのなら、実現可能なものでなければなりません**」　——シャノン・ハーディ、MASSの創設者

p.143からの続き

——私は80歳です。1950年代にロンドンで看護師をしていたときに初めて目の当たりにした死者は、貧しくてこれ以上子どもをもてないとヤミ堕胎に踏み切った41歳の母親でした。

また、この闘いの長い歴史を知っている人たちからの声もあった。

——ヘンリー・モーゲンテラーは、お金の儲かる仕事を手放して、カナダの女性たちがリプロダクティブ・ライツを獲得できることを求めて刑務所に入ったのです。私は彼を見捨てません。

さらに、すべての人が中絶を受けられるはずのカナダにおいて、医療機関がクラウドファンディングに頼らなければならないことに憤りを覚えた人々も大勢いた。

クラウドファンディングは成功した。グループにはモーゲンテラー・クリニックの建物を借り、「クリニック554」として再開できるほどの十分な資金が集まった。エイドリアンは中絶を担当する医師の一人になり、ヴァレリーはクリニックのマネージャーを務めている。完璧な解決策だったわけではない。ニューブランズウィック州は病院以外で行われる中絶は保険適用外としているため、「クリニック554」は政府から資金を提供されていない唯一のクリニックになっている。もちろん、すべての人が自前で中絶費用を負担できるわけではない。それでも、ニューブランズウィック州で望まない妊娠に直面している人々にとっては選択肢が一つ増えることになった。

クリニック554の前に立つエイドリアン・エドガーとヴァレリー・エデルマン。横断幕は、「フレデリクトン・ユース・フェミニスト」が、地元アーティストのリード・ロッジとアンバー・チショルムの協力を得て作ったもの。

中絶のスティグマをなくすためにソーシャルメディアを活用する

現在進行中の課題として、中絶にまつわるスティグマの問題があります。中絶はごく普通のできごとなのに、人々は語ることを恐れています。だから1970年代にフランスの女性たちが中絶の解禁を求めて闘ったとき、343人の女性著名人が自らの中絶経験を公開した**マニフェスト**は衝撃的でした。

世界中のアクティビストたちが、同じような戦術を使ってスティグマと闘うために自らの中絶経験について語り始めています。今や、その多くがインターネットの力を活用しています。フランソワーズ・ジラードはこう語ります。「人々が経験を公に語りだすと、大きなパワーが生まれる……若きアクティビストたちにとって、ソーシャルメディアは30年前にはなかった国境を越えたつながりや交流をもたらしているんです」

左）神話：中絶で心にダメージを受ける問題を、考えたことはないのかね?
右）真実：中絶を受けた後で人々は安堵を感じているという調査結果がありますよ。妊娠を続けて産んだとしても、同じくらいのメンタルヘルスの問題が起きるそうです。私のメンタルヘルスを心配するなら、私の考え方を支持してほしい！
#スティグマをなくそう

CREAは一般人向け教育リソースを作成している。中絶をめぐる沈黙は嘘とスティグマをもたらし、安全な中絶を求めることを難しくする。

インドでは、CREAというフェミニストの人権団体が「#スティグマをなくそう」キャンペーンを展開しています。中絶についての会話をうながすことで意識を高め、沈黙や羞恥心と闘い、“神話”や誤解を克服しようというのです。「リプロダクティブ・チョイス・オーストラリア」は、アデレードの街頭でフラッシュモブを行い、中絶のスティグマと闘っています。ザンビアでは、「アフリカ・ファースト」と呼ばれる若者主導のグループが、歌やダンス、コメディーなどを披露するストリート・シアターを取り入れ、中絶や若者のセクシュアリティにまつわるスティグマをなくし、会話を生み出すことに成功しています。

2016年、中絶の権利に大きな勝利をもたらした「ホール・ウィミンズ・ヘルス対ヘラーステッド」の判決後、アメリカの最高裁の外で勝訴を祝う支持者たち。アクティビストたちの看板には、「45歳までに女性の3人に1人が中絶する」という一般的によく言及される統計値が見られる。2017年には新しい研究で中絶率の低下が明らかにされ、この数値は「4人に1人」に変わった。

北アメリカでも世論をめぐる闘いが続いています。若者の間では、安全で合法的な中絶を支持する人々の割合は他の世代よりも高いのですが、恥の感覚やスティグマは残っています。だから、人々は自分の中絶についてなかなか話せなくなり、公然と中絶への支持を語ることも難しくなるため、その沈黙と恥辱感をアンチチョイス派に利用されてしまうのです。

「3人に1人キャンペーン[*5]」は、中絶に関する会話をうながすことで、この沈黙を破ろうとしています。このキャンペーンのウェブサイトは、人々に自分の経験を語れる場を提供しています――経験をわかちあうことはパワフルな体験になるからです。妊娠を終わらせることを選んだ人々の真実の物語を聞けば、一方的に中絶にスティグマを刻みつけることははるかに難しくなるのです。

*5 中絶は女性の3人に1人が経験しているという事実から、中絶にまつわる恥とスティグマを打ち消すために経験を語るキャンペーンのこと。

「私たちの物語を全力で語ることで、
スティグマや嘘を、
そして女性や少女や妊娠する可能性のある
あらゆる人々の人生を（ときに文字通り）
破壊してしまう恥の文化を
けちらしてしまおう。
中絶は普通に行われている。
中絶は現に起きている。
中絶は合法で、安全で、
誰もが利用できるものであるべきだ。
中絶は大声で語っていいことなのだから」

――リンディ・ウェスト、沈黙や偏見と
闘うための「#中絶経験を叫べ」
キャンペーンについて

アメリカの若きアクティビスト

ワシントン州シアトルに住む18歳の高校生、マディ・ラスムセンは、「安全な場所（セーフ・プレース）プロジェクト」というすばらしい情報サイトを作った。そのウェブサイトには、アメリカ国内のすべての中絶クリニックのリストが掲載され、インタラクティブな地図と州ごとのアクセス制限のリストも掲載されている。彼女のウェブサイトは2017年の春に公開された。

マディは何年も前から女性の権利に関心をもっていたけれども、社会的に恵まれていない女性たちの擁護団体「リーガル・ボイス」でインターンとして働いたことで、多くの問題について認識を深めることができたのだという。「中絶やリプロダクティブ・ヘルスにたどり着けない問題があることに最もショックを受けました」と彼女は語る。「何よりも大きな戦場だと思いました」

彼女のウェブサイトは学校のプロジェクトとして始まった。「2年のときにとりかかって、卒業論文のために3年になって再開したのです」。自分の作品がどのような反響を呼ぶのか不安もあったという。「［2016年の大統領］選挙の後で、自分の名前がウェブサイトに関連づけられていることが心配でした。周囲から、ああ、悪魔の仕事をしている人だな、と思われるのではないだろうかと。今は家族計画連盟の資金援助が打ち切られていくような時代なので、中絶を提供している施設のスタッフのように私も標的にされる可能性があると心配だったのです。でも、もし私がこれをやりぬいて、名前を掲げて平気でいられたら、女性たちは障壁にぶつからずにケアを受けられるようになるかもしれないと思い直したのです。最終的には、それだけの価値があることだと思いました」

これまでのところ、彼女のところには圧倒的にポジティブな反応ばかりが寄せられている。

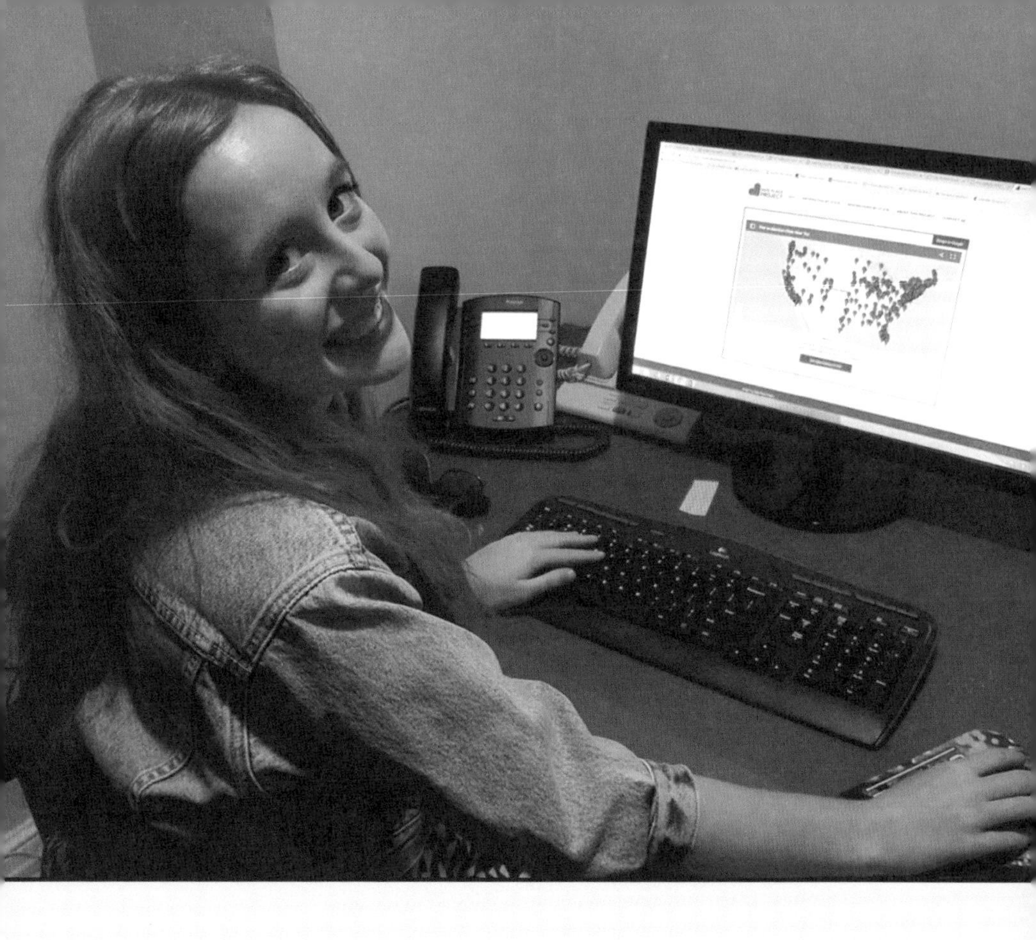

「性教育の授業をまじめに受けて、
それでも知りたいことやわからないことがあれば、
先生や家族に相談すること。
それもできなかったらインターネットで探してください。
できるだけ若いうちに学んでおくことです」

——マディ・ラスムセン、「セーフ・プレース・プロジェクト」、アメリカ

本書でインタビューしたアクティビストから読者へのメッセージ

あなたは自分で思っている以上にパワフルです。
立ち上がって自分の意見を言えば、世界に変化をもたらせます。
信じられないような陳腐なせりふだけど、私が心から信じていることです。たった一人で声を上げることで、多くの人を動かせるのです。
どんな理由であろうとも、人に黙らされてはなりません。
あなたが言わねばならないと思うことは重要なことなのです。

——ミーガン・ブラディ、「チョイスを支持する学生たち」、アイルランド

若者たちは、権威を尊重すべきだとか、大人たちが答えを知っているなどと教えられていますが、大人はそれぞれに意見や偏見をもつただの人間にすぎません。権威に異議を唱えたって構わないのです。
質問をしたり、先生が間違った情報を教えている場合には批判したり、「なぜ中絶について教えてくれないのか、なぜ選択について教えてくれないのか」と迫ってもいいのです。

——レネー・ブレイシー・シャーマン、「ウィー・テスティファイ」、「全米中絶基金ネットワーク」、アメリカ

若者には声を上げる権利があるし、好奇心をもって質問する権利もあるし、両親や家族、友人から聞いた答えを唯一の真実の言葉として受け入れなくてもいいのです。
世界は複雑で、すべての問題には多くの側面と多くの声があります
——だから自分の声を見つけることを恐れないでください。
自分が何を信じるかは、自分で決めることができます。
そのために闘うことを決して恐れないでください。

——ニアム・スカリー、「チョイスを支持する学生たち」、アイルランド

若者だからこそ、できることがあるのです。声を上げよう。両親に話してみよう。身近な人々を教育しよう。年上の人々に、なぜ中絶できることが自分にとって重要なのかを話してみよう。

——エイドリアン・オーウェン・エドガー、クリニック554、カナダ

何でも当たり前だとは思わないでください……自分の権利を知り、それを守るために闘う準備をしましょう。積極的かつ大胆に行動しましょう。真実は制限も国境も国も超えているのです。
自分自身を信じ、互いを信頼しましょう……グループや政党、労働組合などで連帯すると、私たちはより強くなれます。
組織化し、仲間を増やしましょう。

——ヘイザル・アテイ、「セクシュアル&リプロダクティブ・ライツのための青年連合」「Women on Web」、トルコ

若い読者のみなさんには、自分自身であることを恐れないでと伝えたいです。噂やゴシップ、さまざまな形の迫害を受けても、自分自身であり続けること、なりたい自分になることを恐れないでください。

——ラバ・アンドリアニナ・ランドリアナソロ、「セクシュアル&リプロダクティブ・ライツのための青年連合」、「ユース・ファースト」、マダガスカル

中絶は完全に安全でごく普通の処置なのだし、妊娠すること自体も正常なことです。あなたの身体はあなた自身のものなのであって、セックスをするかしないか、避妊を選択するかどうか、セックスを回避するかどうかなど、自分の身体をどうするのかは、自分でコントロールすることができるのです。

——ステファニー・ピネイロ、「中央フロリダ女性緊急基金」「ウィー・テスティファイの語り部」、アメリカ

何ができるのか?

中絶の権利はすべての人に関わりのあるテーマです。年齢や性別に関係なく、自分自身や他の人を教育し、中絶に対するスティグマと闘い、すべての人が自分の身体について重要な選択をする権利を守るために立ち上がることができます。

・包括的性教育を要求しましょう。間違った情報を与えられていたり、重要なトピックが性教育の授業から省かれていたりした場合には、先生に質問して異議を唱える権利があることを知っていてください。リプロダクティブ・ヘルスと中絶についての事実を学びましょう。

・自分の権利を知りましょう。誰にでもセックスをする権利、しない権利、自分の身体やセクシュアリティに関する情報を得る権利、望まない妊娠から身を守る権利、妊娠を終わらせる権利、妊娠を継続する権利、そして自分で決断することを支援される権利があります。友だちにもこの権利があることを教えてあげましょう。

・性差別、スラット・シェイミング[*6]、ホモフォビア、トランスフォビア[*7]に立ち向かいましょう。セックスはほとんどの人にとって普通の生活の一部であり、恥ずべきことではありません。

・妊娠中や子育て中の10代の若者を支援しましょう。そのような人々が自分の通う学校で排除されていないように注意して、ひどい扱いを受けている人がいたら声を上げましょう。

・自分がリプロダクティブ・ライツとあらゆる人々のための社会正義を支持していることを周囲に伝えましょう。

・状況を変革して中絶を受けやすくしようと活動している国内外のグループのために資金集めを手伝いましょう。

・変革を求めて活動している人々の声を増幅させ、自分自身も声を上げましょう。ソーシャルメディアはとてもパワフルな手段になります。

---

*6　古い性別役割に基づく偏見により、(主に女性の)性行動などを非難して貶めること。
*7　同性愛者や男女二元論に当てはまらない人に対する偏見や差別、嫌悪のこと。

真の専門家：中絶を経験した人の話を聞く

リプロダクティブ・ライツは、これからも困難に直面していくでしょう——それでも、だれもが自分自身の身体や選択、そして自分の未来を自分でコントロールできるようにするべきだと信じる情熱的で献身的な人々が、これからもそうした困難に立ち向かい続けていくはずです。何が必要とされているかを知っているのは、実際に中絶をしている当事者の他にはいません——だからリプロダクティブ・ライツを唱道するアクティビストたちは、中絶経験者の声を確実に届けるために努力を続けているのです。レネー・ブレイシー・シャーマンはそんなアクティビストの一人です。

レネー・ブレイシー・シャーマンは、リプロダクティブ・ライツに関する議論の中心に、中絶経験者の声を据えていくことを目指している。

レネーはリプロダクティブ・ジャスティスを擁護し、自らの経験を語るアクティビストで、シカゴ出身で現在はワシントンDCで暮らしています。彼女は自分の中絶経験を公にすることで、他の中絶経験者にも声を上げるよううながし、沈黙や偏見に立ち向かっています。

レネーは19歳のときに中絶を経験しました。「とても孤独で、取り残された気分でしたね」と彼女は振り返ります。「両親は中絶支持者だったのに、妊娠を非難されるんじゃないかと思ってしまって」

自ら中絶を経験してから、彼女はパワフルで情熱的に中絶の権利を擁護するようになりました——講演や作家活動で、また全米中絶基金ネットワークのシニア広報マネージャーとして、「NARALプロチョイスアメリカ」の役員として、そして中絶の専門家として活躍するようになったのです。

私たちは中絶を経験した当事者の話を聞くことが少なく、中絶した人々について第三者が語る話ばかり聞かされています。「中絶に関する熱い議論は続いているのに、実際に中絶した人の声は無視されているんです」とレネーは言います。「私たちの人生を理解しようともしない。最もシンプルで大切なことを尋ねようともしない。なぜあなたは中絶したのですか、と……意図的に尋ねないのです。人間として扱わなければ、権利を奪うのは簡単だから」。レネーは、リプロダクティブ・ライツをめぐる議論の中心に中絶経験者の声を据えるべきだと考え、それを実現しようとしています。

レネーは、中絶経験者が自らの体験を公に語ることを支援するプログラムとウェブサイト「私たちは証言する（ウィー・テスティファイ）」を作りました。「私たちは、誰が中絶に関する専門家なのかを再定義する」と彼女は書いています。「私たちが証言するのは、私たち自身が、自分の人生と自分の中絶の経験と自分自身の真実の専門家だからです。何が自分にとって最良であるかを私たちは知っているし、私たちの物語は私たちのものだからです。自分のことが忘れ去られている場面では、声を上げにくくなることを私たちは知っています」

2つの人種が混じった黒人女性であるレネーは、人種が中絶の偏見といかに深く関わっているかを理解しています。「中絶に対する罪悪視と抑圧のせいで、仲間たちの多くは声を上げることができなくなっています。たとえ声を上げても、嫌がらせや憎しみをぶつけられるし……公に物語をわかちあうような場面でも、より特権と力のある人々がその場を支配してしまって、誰よりも疎外された人々や誰よりもケアを受けにくくなっている人々の声はかき消されてしまうんです。でも、私たちはそんな状況を変えていけると信じています」

レネーは、中絶体験の語り方のガイド「中絶を堂々と語る」を書きあげました。2015年には、家族計画連盟から黒人歴史月間を記念した99人のドリーム・キーパーズの一人として表彰され、日刊ニュースサイト「カラーラインズ」の「2016年に歴史を作った有色の女性16人」にも選ばれています。

では、ここでレネー自身の中絶物語を紹介しましょう。

でも10年前のある朝、私は朝寝坊しなかった。できなかったのだ。

HAHA
一週間前、
妊娠に気づいた。

HAHAH
AHAHA

ハハ、おい、
彼女しんどそうだぞ、
おまえの彼女、
妊娠したんじゃねーか。

ハハ……
HAHA

ハ……

それならわかる。
吐き気。疲れ。胸の膨らみ。
私はダッシュした。

あれは私の生涯で
一番長い
数分間だった。
CVS
そんなわけない。
恐ろしいくらい偶然が
重なっただけ。

お願い、陰性になって。
そしたら私生まれ変わるから。
あんな男は捨ててやる、
きっとそうする。

「妊娠」
くそっ！

SIIIIGH
スーッ

ギィーッ
CREEEEAAAK

彼と話し合った。どちらも親になる
準備はできていなかった。
その後
一緒になんか
行けないからな。おまえは
俺たちの一部を殺すんだから。
そのとき、私は気づいたのだ——。
自分のニーズと未来を第一にすることを
知った瞬間だった。
CLINIC PARKING
REC
SECURITY CAMERAS
BZZZZ
ブ——ッ
あの……

350ドル。それが私の中絶にかかった費用。親にバレないようにするために、保険は使えなかった。
親には言っていなかった。いつかは話せると思ったけど。今は無理。

でも今は、私は孤独だった。

彼女のほほえみは
温かく本物だった。
彼女は信用できた。

テレビやメディアでは、
中絶は悪いものだと
語られている。
でも私の経験は何も
悪いところはなかった。

いつの日か、先生にもう一度会って、お礼を言いたい。

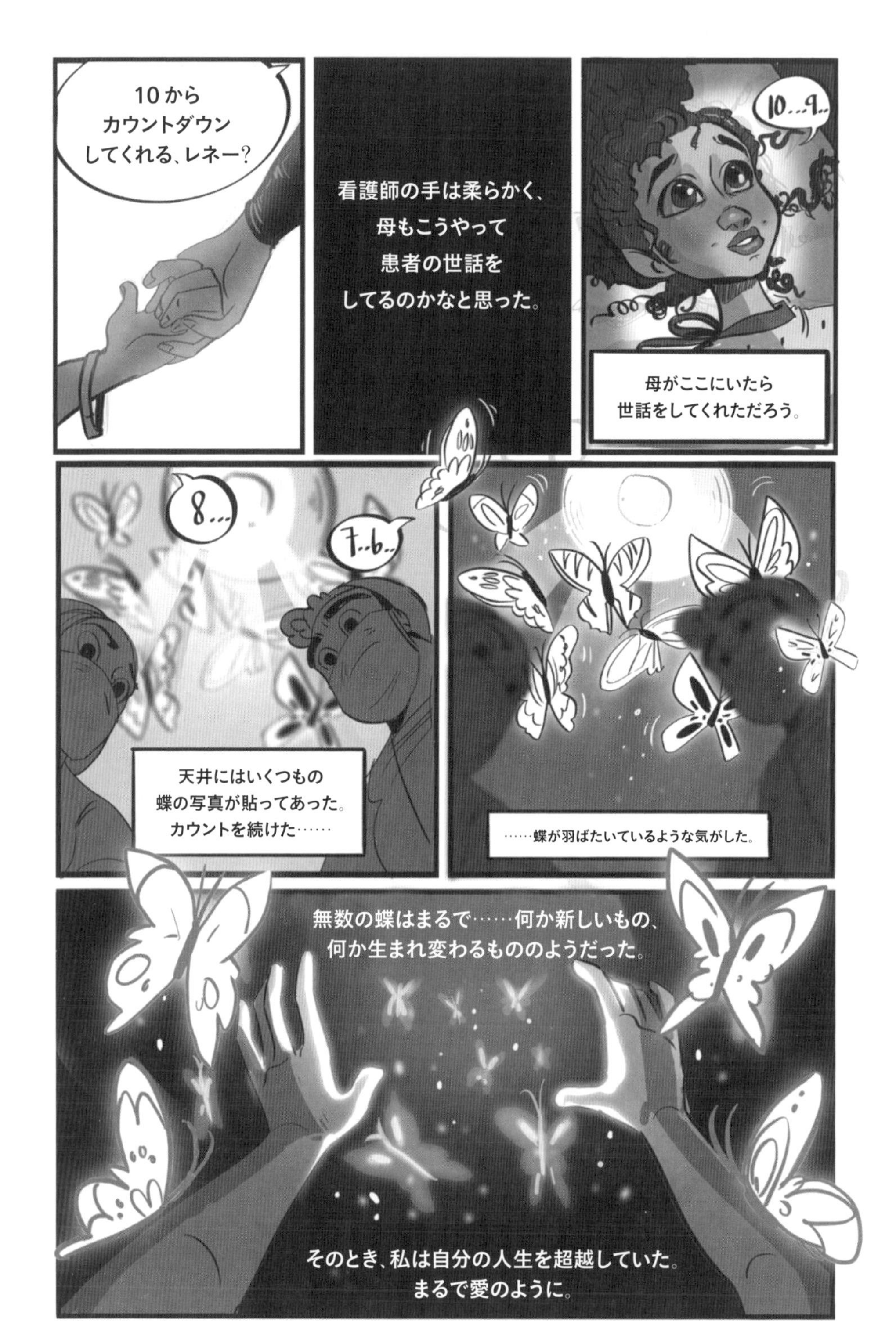
10から
カウントダウン
してくれる、レネー?
看護師の手は柔らかく、
母もこうやって
患者の世話を
してるのかなと思った。
10…9…
母がここにいたら
世話をしてくれただろう。
8…
7…6…
天井にはいくつもの
蝶の写真が貼ってあった。
カウントを続けた……
……蝶が羽ばたいているような気がした。
無数の蝶はまるで……何か新しいもの、
何か生まれ変わるもののようだった。
そのとき、私は自分の人生を超越していた。
まるで愛のように。

19歳のレネー
今のレネー
どれもが一つの物語。
メタモルフォーゼ。
• STORY: RENEE BRACEY SHERMAN •ART: KENNEDY TARRELL •

AUTHOR'S NOTE

著者のコメント

この本がきっかけで会話が始まるといいですね。中絶について語ることは重要です。中絶は多くの人の人生の一部であり、中絶について語ることは沈黙や罪悪視と闘う良い方法です。だけど同時に、誰もが自分の経験を語るべきだとプレッシャーを感じてもいけません。安心して語れない人もいます。また、心の準備ができていない人や、話したくない人もいるでしょう。それはそれでいいのです。

私は作家になる前、ソーシャルワーカーとして働いていました。カナダの病院にある女性のための健康クリニックで、中絶を受ける多くの人たちと話をしました。同じころ、1990年代半ばから後半にかけて、共に働いていた医師たちは殺害の脅迫を受けていました。私たちの地域のある中絶医は、自宅の窓越しに撃たれました。医師や看護師、クリニックのスタッフが、人々が中絶を受けられるようにするためにどれほど尽力しているかを私は目の当たりにしました。そして私は、人々が妊娠を終わらせること、つまり自分の身体と命について自分で決めることがいかに重要であるかを考えさせられる場面を何度も目撃してきました。私はこれまでずっとプロチョイスを貫いてきましたが、本書を書いたことで問題への理解が深まり、中絶の権利をますます強く信じるようになりました。

中絶の権利をめぐる状況は急速に変化しています。私は本書が出版される時点で最新の情報を提供できるように最善を尽くしましたが、もちろん、あなたがこの本を読む頃には、さらに多くの変化が起きていることでしょう。そのため、最新の情報を得るのに適したウェブサイトを集めて掲載しました。

私がこの本を書こうと決めたのは、2017年の初め、アメリカでドナルド・トランプが大統領になった直後で、リプロダクティブ・ライツ——そして女性、移民・難民、有色の人々、障がい者、LGBTQの人々の権利——が脅かされていたからです。まさに大変な時期ですが、今後、中絶の権利に対する攻撃が行われたとしても、それがまかり通ることはないと確信しています。リプロダクティブ・ライツのために立ち上がる人々の世界的なコミュニティは、献身的で、情熱的で、決意に満ちています。

中絶の権利を求める運動の歴史を知ることは、誰にとっても重要なことだと思います。困難な闘いが繰り広げられてきましたが、これまでに獲得した権利を守っていくのは私たち全員です。私たちは後戻りすることはできません。基本的な権利が脅かされたとき、みなで声を上げ、抵抗することが重要です。本書が、若い読者のみなさまにとって、その一助となることを願っています。

用語解説

- **アジェンダー** ……………… p.135
  自分にはジェンダー自認がないと自認していること。
- **アンチチョイス派** ……………… p.53
  中絶を選択する法的な権利に反対する人々。
- **イデオロギー** ……………… p.83
  理念や信念の体系。
- **インフォームド・コンセント** ……………… p.83
  結果的に生じ得るリスクやベネフィットを含め、処置や治療に関してあらゆる情報を得てから患者が医師に対して与える許可。
- **狂信的な** ……………… p.50
  不合理な、または暴力的な行為につながる極端な信念を抱えていること。
- **緊急避妊薬** ……………… p.19
  性行為後一定時間以内に服用することで妊娠を防止することが可能な錠剤。モーニングアフター・ピルまたはプランBとしても知られる。
- **禁欲主義教育プログラム** ……………… p.81
  若者にセックスしてはならないと教え、それ以外の妊娠を回避する方法を教えないプログラム。
- **クラウドファンディング** ……………… p.18
  通常、インターネットを通じて、あるプロジェクトの資金にするために少額の寄付を大勢から集めること。
- **頸管** ……………… p.19
  子宮の下部に位置し、子宮と膣を結んでいる狭い円筒型の管状の組織。
- **外科的中絶** ……………… p.18
  頸管を拡張しておき、子宮から胎児組織を除去することで妊娠を終わらせる処置。
- **国民投票** ……………… p.103
  ある政治的疑問に関して有権者全員で行われる一般投票。
- **差別** ……………… p.34
  人種や性別、年齢、性的指向、性的表現、宗教、障がいなどを理由に、ある人やグループを否定的に取り扱う行為または決定。
- **ジェンダーアイデンティティ** ……………… p.135
  自分の生まれついた性に応じたもしくは応じていない内面的な自分の性自認。
- **ジェンダークイア** ……………… p.135
  ジェンダーアイデンティティが伝統的な男性及び女性の二項に当てはまらない人のこと。

- **ジェンダーの代名詞** ･････････････････････ p.137
英語圏では性別が区別されている三人称単数（男性についてはhe, his, him ; 女性についてはshe, her, her）の代わりに、ジェンダー・ニュートラルな複数形の代名詞（they, their, them）を単数にも使う用法が広まりつつある。

- **ジェンダーフルイド** ･････････････････････ p.135
日によって一定しないジェンダーアイデンティティをもつこと。

- **自然流産** ･････････････････････ p.18
胎児が体外生存可能なほど成長する前に身体が自然に妊娠を終わらせること。流産ともいう。

- **司法バイパス** ･････････････････････ p.76
一定の基準に合致した未成年に対して、親に対する通知をせずまたは親からの同意を得ることなく中絶を受けることを許可するために判事が与える命令。

- **市民的不服従** ･････････････････････ p.53
変革をもたらすことを目的として、平和的な抗議手段で法に従うのを拒否すること。

- **自由化** ･････････････････････ p.101 コラム
個々の行為について禁止を撤回することまたは政府の制限を緩和すること。

- **植民地主義** ･････････････････････ p.92 コラム
強国が自らのパワーを増大するために他の国家を支配し、移り住んで領土にしたり、その資源を搾取したりする行為。

- **女性解放運動** ･････････････････････ p.34
1960年代初めから1980年代初めまで続いた第二波フェミニスト運動。

- **人工妊娠中絶** ･････････････････････ p.18
意図的にまたは故意に妊娠を終わらせること。

- **スティグマ** ･････････････････････ p.15
ある種の状況または何らかの性質をもつある人物に関して、ある社会またはグループの人々が抱いている否定的及び不当な信念を基盤にすることが多い強い非難の感情。社会的な烙印。

- **セクシュアル＆リプロダクティブ・ヘルス＆ライツ（SRHR）** ･････････ p.121
セクシュアリティ及びリプロダクション（性と生殖）に応用された人権の概念。

- **疎外されている** ･････････････････････ p.75
ある人物やあるグループまたは概念などを重要でないものまたは周縁的なものとして取り扱われること。

- **脱犯罪化** ･････････････････････ p.51
何かを違法または犯罪行為として取り扱うのをやめること。

- **タブー** ･････････････････････ p.16
ある対象に関する、またはある人物や場所やものなどに関する議論を禁じるような社会的または宗教的慣行。

- **治療的中絶** ……………………………………………… p.41
  医師によって治療を目的として行われる中絶。この言葉は、妊娠がその患者の身体的または精神的な健康を脅かすような場合に行われる中絶を表すためによく使われる。
- **撤廃** ……………………………………………… p.48
  公的な取り消しまたは撤回。
- **トランスジェンダー** ……………………………………………… p.21
  出生時にその人物に割り振られた性別と異なるジェンダーアイデンティティをもつこと。
- **内科的中絶** ……………………………………………… p.19
  薬剤を用いて中絶を終わらせる非外科的中絶の一種。
- **妊娠週数の期限** ……………………………………………… p.62
  中絶サービスが制限されたり拒否されたりするようになる妊娠週数。
- **妊娠初期** ……………………………………………… p.18
  妊娠の最初の3カ月。妊娠期間を3つに分けた最初の期間。第1三半期。
- **ノンバイナリー** ……………………………………………… p.21
  ジェンダークイアを参照のこと。
- **ハームリダクション･モデル** ……………………………………………… p.125
  さまざまな人権に関する行動に関連して否定的な結果をできるだけ減らすのと同時に、人々が自分で決定を下せるように支援するために設計されたポリシーや実践を含む公衆衛生のアプローチ。
- **敗血症** ……………………………………………… p.103
  細菌などの感染により命を危険にさらす恐れのある合併症。
- **非政府組織（NGO）** ……………………………………………… p.95
  社会的または政治的な問題に対応するために政府とは独立して運営し、事業を行う非営利団体。
- **避妊** ……………………………………………… p.20
  妊娠が生じるのを防止する手段。バースコントロール、産児調整、家族計画、受胎調節、出生調整などとも。
- **プロパガンダ** ……………………………………………… p.65
  ある政治的主張または視点を宣伝するために用いられる誤った、または誇張された、誤解を招くような情報。
- **分断** ……………………………………………… p.34
  人種や階級、民族などで人々を分離させること。この用語は、かつてのアメリカで「分離すれども平等」の政策下で黒人を合法的に分離していたことについて使われることもあれば、なおも存在している社会的に強制された分離について使われることもある。

・マニフェスト p.145
あるグループが信念や目的、意図に関して宣言した文書。

・ミソプロストール p.19
中絶を引き起こすために、典型的にはミフェプリストンと組み合わせて使われる薬。

・ミッドワイフ p.23
出産を支援するよう訓練された人物［日本では伝統的な産婆、現代では助産師に当たる］。

・ミフェジマイソ p.19
中絶を引き起こすために使われる2つの薬剤（ミフェプリストンとミソプロストール）を組み合わせた［カナダの］製品名。「中絶薬」としても知られる。

・ミフェプリストン p.19
中絶を引き起こすために、典型的にはミソプロストールと組み合わせて使われる薬。RU486とも。

・羊水穿刺 p.111
胎児の異常をスクリーニングする目的で羊水のサンプルを得るために行う医療処置。

・リプロダクティブ・ジャスティス p.68
安全で持続可能なコミュニティの中で子どもを産み、育てるかどうかを決定する根本的な人権に焦点を合わせた、リプロダクティブ・ライツと社会正義を組み合わせた議論の枠組み。

・ロビー活動 p.16
ある問題に関して政治家または公人に影響力を行使するよう働きかける活動。

資料

あなたの身体、あなたのセクシュアル&リプロダクティブ・ヘルス、
望まない妊娠からどう身を守るかについて詳しくは:

Planned Parenthood
https://www.plannedparenthood.org/learn/teens

Scarleteen: Sex Ed for the Real World
http://www.scarleteen.com/

All-Options
https://www.all-options.org

中絶に関する包括的かつ最新の統計及び詳しい調査情報は:

The Guttmacher Institute
https://www.guttmacher.org/about/

世界中のリプロダクティブ・ライツ&ヘルスに関する情報は:

MSI Reproductive Choices
https://www.msichoices.org.uk/

中絶に関するファクトシート―及びアクセスに関する歴史的及び現在の情報―は:

National Abortion Federation
https://prochoice.org/

カナダの中絶権の歴史に関連した数多くの物語やビデオは:

CBC Digital Archives
http://www.cbc.ca/archives/categories/health/reproductive-issues/

リプロダクティブ・ライツ賛成派の中絶の権利の問題に関連した
最新のニュースや現在のイベントは:

Rewire
https://rewire.news/primary-topic/abortion/

有色の女性やノンバイナリーの人々による中絶に関する記事は:

Echoing Ida
https://echoingida.org/issue_area/abortion/

掲載したマンガの一部は、『コミックス・フォー・チョイス』から引用している。この本は、中絶に関するマンガを集めたアンソロジーで、数多くの異なる声をフィーチャーし、中絶の歴史や政治から個人的な物語や運動まで取り上げている。注文する、または無料か寄付によりダウンロードするには:
http://comicsforchoice.com/

REFERENCES

INTRODUCTION

Abortion Rights Coalition of Canada. "Statistics—Abortion in Canada." Abortion Rights Coalition of Canada, April 2017. arcc-cdac.ca/backrounders/statistics-abortion-in-canada.pdf.

Guttmacher Institute. "Induced Abortion in the United States." Guttmacher Institute, October 2017. guttmacher.org/fact-sheet/induced-abortion-united-states.

University of Ottawa. "Society, the Individual and Medicine: Facts and Figures on Abortion in Canada." University of Ottawa, July 2015. med.uottawa.ca/sim/data/abortion_e.htm.

CHAPTER ONE

Abbott, Karen. "Madame Restell: The Abortionist of Fifth Avenue." Smithsonian.com, Nov. 27, 2012. smithsonianmag.com/history/madame-restell-the-abortionist-of-fifth-avenue-145109198/.

Boston Women's Health Collective. "Women and Their Bodies: A Course." Our Bodies, Ourselves, 1970. ourbodiesourselves.org/cms/assets/uploads/2014/04/Women-and-Their-Bodies-1970.pdf.

Bracey Sherman, Renee. "What the War on Reproductive Rights Has to do With Poverty and Race." Yes! Magazine, May 25, 2016. yesmagazine.org/peace-justice/what-the-war-on-reproductive-rights-has-to-do-with-poverty-and-race-20160525.

Dore, Mary, dir. She's Beautiful When She's Angry. New York: International Film Circuit and She's Beautiful Film Project, 2014. 92 minutes.

Gold, Rachel Benson. "Lessons from Before Roe: Will Past be Prologue?" Guttmacher Policy Review 6, no. 1. March 1, 2003. guttmacher.org/gpr/2003/03/lessons-roe-will-past-be-prologue.

Morrison, Patt. "Lest We Forget the Era Preceding Roe vs. Wade." Los Angeles Times,
Jan. 21, 2003. http://articles.latimes.com/2003/jan/21/local/me-patt21.

Our Bodies, Ourselves. "History." About. ourbodiesourselves.org/history/.

Ross, Loretta, and Rickie Solinger. Reproductive Justice: An Introduction. Oakland: University of California Press, 2017.

Soranus of Ephesus. Soranus' Gynecology. Translated by Owsei Temkin. Baltimore: John Hopkins University Press, 1956.

Stortz, Gerald J., with Murray A. Eaton. "Pro Bono Publico: The Eastview Birth Control Trial." Atlantis 8, no. 2 (Spring/Printemps 1983): 51–60. http://journals.msvu.ca/index.php/atlantis/article/viewFile/4530/3768.

Wolfe, Jessica Duffin. "Why I Am an Abortion Doctor, by Garson Romalis" (speech at University of Toronto Law School Symposium, Jan. 25, 2008). Toronto Review of Books, Oct. 29, 2012. torontoreviewofbooks.com/2012/10/why-i-am-an-abortion-doctor-by-dr-garson-romalis/.

CHAPTER TWO

Arthur, Joyce. "Abortion in Canada: History, Law, and Access." 1999. hackcanada.com/canadian/freedom/canadabort.html.

Brownmiller, Susan. "Everywoman's Abortions: 'The Oppressor Is Man.'" Village Voice, March 27, 1969. https://womenwhatistobedone.files.wordpress.com/2013/09/
1968-03-27-village-voice-full.pdf.

Connolley, Greg. "Pro-Abortion Protest: House Screams to a Halt." Ottawa Citizen,
May 12, 1970.

Day, Shelagh, and Stan Persky, eds. The Supreme Court of Canada Decision on Abortion. Vancouver: New Star, 1988.

Dunlap, Bridgette. "How Clergy Set the Standard for Abortion Care." The Atlantic, May 29, 2016. theatlantic.com/politics/archive/2016/05/how-the-clergy-innovated-abortion-services/484517.

Joffe, Carole. Doctors of Conscience: The Struggle to Provide Abortion before and after
Roe V. Wade. Boston: Beacon Press, 1996. Quotes from pp. 12 and 82.

Kaplan, Laura. The Story of Jane: The Legendary Underground Feminist Abortion Service. Chicago: University of Chicago Press, 1995. Quotes from introduction and p. 287.

Kieran, Sheila. "The Struggle for Abortion Rights: 1960s to 1980s." The Morgentaler Decision, n.d. morgentaler25years.ca/the-struggle-for-abortion-rights/1960s-to-1980s/.

Mackie, Victor. "Protesters Force House to Adjourn—Women Carry 'Abortion War' into Commons Gallery." Winnipeg Free Press, May 12, 1970.

McCook, Sheila. "Pleas for Abortion Greeted by Silence." Ottawa Citizen, May 11, 1970.

McKenna, Brian. "MPs Study Ways to Curb Disruptions." Montreal Star, May 12, 1970.

Our Bodies, Ourselves. "History of Abortion in the U.S." March 28, 2014. ourbodiesourselves.org/health-info/u-s-abortion-history/.

Rebick, Judy. Ten Thousand Roses: The Making of a Feminist Revolution. Toronto: Penguin Canada, 2005. Quote from p. xv.

Religious Coalition for Reproductive Choice. "History." http://rcrc.org/history/.

Sanger, Clyde. "Angry Women Halt Sitting of Parliament." Globe and Mail, May 12, 1970.

Tierney, Ben. "Our View: Freedom to Decide." Calgary Herald, May 12, 1970.

CHAPTER THREE

Abortion Rights Coalition of Canada. "Position Paper #58: The Injustice and Harms of Parental Consent Laws for Abortion." October 2017. arcc-cdac.ca/postionpapers/
58-Parental-Consent.pdf.

American Civil Liberties Union. "Laws Restricting Teenagers Access to Abortion." aclu.org/other/laws-restricting-teenagers-access-abortion?redirect=reproductive-freedom/laws-restricting-teenagers-access-abortion.

Arthur, Joyce, Rebecca Bailin, Kathy Dawson, Megan Glenwright, Autumn Reinhardt-Simpson, Meg Sykes and Alison Zimmer. "Review of 'Crisis Pregnancy Centre' Websites in Canada." Abortion Rights Coalition of Canada, May 2016. arcc-cdac.ca/CPC-study/CPC-Website-Study-ARCC-2016.pdf.

Boonstra, Heather D. "Abortion in the Lives of Women Struggling Financially: Why Insurance Coverage Matters." Guttmacher Policy Review 19 (July 14, 2016). guttmacher.org/gpr/2016/07/abortion-lives-women-struggling-financially-why-insurance-coverage-matters.

Bracey Sherman, Renee. "What the War on Reproductive Rights Has to do With Poverty and Race." Yes! Magazine, May 25, 2016. yesmagazine.org/peace-justice/what-the-war-on-reproductive-rights-has-to-do-with-poverty-and-race-20160525.

Bracey Sherman, Renee. "Who Should You Listen to on Abortion? People Who've Had Them." New York Times, May 20, 2017. nytimes.com/2017/05/20/opinion/sunday/abortion-people-whove-had-them.html.

Catholics for Choice. "About Us." catholicsforchoice.org/about-us/.

Center for Reproductive Rights. "Evaluating Priorities: Measuring Women's and Children's Health and Well-being against Abortion Restrictions in the States—Volume II." August 1, 2017. reproductiverights.org/EvaluatingPriorities.

Deibel, Kersha. "Kersha's Story." We Testify: Our Abortion Stories. https://wetestify.org/stories/kershas-story/.

DePass, Tanya. "Tanya Depass's Abortion Story." We Testify: Our Abortion Stories. https://wetestify.org/stories/tanya-depass-abortion-story/.

Essert, Matt. "The States with the Highest Teenage Birth Rates Have One Thing in Common." Mic, Sept. 14, 2015. https://mic.com/articles/98886/the-states-with-the-highest-teenage-birth-rates-have-one-thing-in-common#.eGIOKThhH.

Groen, Danielle. "When It Comes to Abortion, Do Medical Schools Need to Smarten Up?" Chatelaine, Feb. 17, 2015. chatelaine.com/living/features-living/abortion-education-canada-medical-schools-smarten-up/.

Guttmacher Institute. "Targeted Regulation of Abortion Providers." Dec. 1, 2017. guttmacher.org/state-policy/explore/targeted-regulation-abortion-providers.

Jane's Due Process. "Who Gets a Judicial Bypass?" June 14, 2017. https://janesdueprocess.org/blog/gets-judicial-bypass/.

Jerman, Jenna, Rachel K. Jones and Tsuyoshi Onda. "Characteristics of Abortion Patients in 2014 and Changes Since 2008." Guttmacher Institute, May 2016. guttmacher.org/report/characteristics-us-abortion-patients-2014.

Joffe, Carole. Dispatches from the Abortion Wars: The Costs of Fanaticism to Doctors, Patients, and the Rest of Us. Boston: Beacon Press, 2011.

Joyce, Kathryn. "Meet the Medical Students for Choice." Conscience Magazine, June 29, 2015. consciencemag.org/2015/06/29/meet-the-medical-students-for-choice/.

Kost, Kathryn, Isaac Maddow-Zimet and Alex Arpaia. "Pregnancies, Births and Abortions Among Adolescents and Young Women in the United States." Guttmacher Institute, September 2017. guttmacher.org/report/us-adolescent-pregnancy-trends-2013.

Martin, Nina. "The Supreme Court Decision That Made a Mess of Abortion Rights." Mother Jones, Feb. 29, 2016. motherjones.com/politics/2016/02/supreme-court-decision-mess-abortion-rights/.

Mickleburgh, Rod. "Garson Romalis Risked His Life to Perform Abortions." Globe and Mail, Feb. 21, 2014. theglobeandmail.com/news/british-columbia/garson-romalis-risked-his-life-to-perform-abortions/article17052093/?page=all.

National Abortion Federation. "Abortion Myths." https://prochoice.org/education-and-advocacy/about-abortion/abortion-myths/.

National Women's Law Center. "The Hyde Amendment Creates an Unacceptable Barrier to Women Getting Abortions." April 21, 2017. https://nwlc.org/resources/hyde-amendment-creates-unacceptable-barrier-women-getting-abortions/.

O'Brien, Jon. "The Catholic Case for Abortion Rights." Time online. September 22, 2015. Accessed at time.com/4045227/the-catholic-case-for-abortion-rights/.

Parker, Willie. Life's Work: A Moral Argument for Choice. New York: Simon & Schuster, 2017. Quotes from pp. 6 and 9.

Rankin, Lauren. "What It's Really Like to Be a Volunteer Escort at an Abortion Clinic." HuffPost, Dec. 2, 2015. huffingtonpost.com/lauren-rankin/what-its-like-volunteer-escort-abortion-clinic_b_8700370.html.

Stanger-Hall, Kathrin F., and David W. Hall. "Abstinence-Only Education and Teen Pregnancy Rates: Why We Need Comprehensive Sex Education in the U.S." PLoS ONE 6, no. 10 (2011). ncbi.nlm.nih.gov/pmc/articles/PMC3194801/.

United States House of Representatives, Committee on Government Reform—Minority Staff, Special Investigations Division."The Content of Federally Funded Abstinence-Only Education Programs." Prepared for Rep. Henry A. Waxman, December 2004. spot.colorado.edu/~tooley/HenryWaxman.pdf.

Wiebe, Ellen R., Lisa Littman, Janusz Kaczorowski and Erin Moshier. "Misperceptions About the Risks of Abortion in Women Presenting for Abortion." Journal of Obstetrics and Gynaecology Canada 36, no. 3 (March 2014): 223–230. jogc.com/article/S1701-2163(15)30630-7/pdf.

Williams, Amanda. "Why I Testified in Texas." We Testify: Our Abortion Stories. https://wetestify.org/stories/why-i-testified-in-texas/.

Willow Women's Clinic. "Myths and Facts About Abortion." 2010. willowclinic.ca/?page_id=287.

Wolfe, Jessica Duffin. "Why I Am an Abortion Doctor, by Garson Romalis" (speech at University of Toronto Law School Symposium, Jan. 25, 2008). Toronto Review of Books, Oct. 29, 2012. torontoreviewofbooks.com/2012/10/why-i-am-an-abortion-doctor-by-dr-garson-romalis/.

CHAPTER FOUR

bbc News. "Black Monday: Polish Women Strike Against Abortion Ban." Oct. 3, 2016. bbc.com/news/world-europe-37540139.

Burns-Pieper, Annie. "Trump Changes to Foreign Aid Restricting Access to Family Planning Services in Poorest Countries." cbc News, Sept. 16, 2017. cbc.ca/news/world/mexico-city-policy-affecting-madagascar-and-zimbabwe-1.4284893.

Casey, Ruairi. "Ireland's Overwhelming Vote to Repeal Abortion Restrictions Is New Evidence of a Changed Nation." Los Angeles Times, May 26, 2018. latimes.com/world/la-fg-ireland-abortion-referendum-20180526-story.html.

Davies, Christian. "Poland's Abortion Ban Proposal Near Collapse after Mass Protests." Guardian, Oct. 5, 2016. theguardian.com/world/2016/oct/05/polish-government-performs-u-turn-on-total-abortion-ban.

Gambino, Lauren. "Women's Rights Groups Brace for Trump: 'We Are Used to Fighting Impossible Odds.' Guardian, Nov. 18, 2016. theguardian.com/society/2016/nov/18/womens-right-groups-fight-trump-pence-aborition-birth-control.

Gemzell-Danielsson, Kristina, and Amanda Cleeve. "Estimating Abortion Safety: Advancements and Challenges." Lancet 390, no. 10110 (2017): 2333–2334. thelancet.com/journals/lancet/article/PIIS0140-6736(17)32135-9/fulltext.

Gorlick, Adam. "Abortions in Africa Increase Despite Republican Policy to Curb Payment for Procedures." Stanford Report, September 28, 2011. http://news.stanford.edu/news/2011/september/abortion-africa-policy-092811.html.

Gunter, Joel. "Abortion in Ireland: The Fight for Choice." bbc News, March 8, 2017.
bbc.com/news/world-europe-39183423.

Guttmacher Institute. "Adding It Up: Investing in Contraception and Maternal and Newborn Health, 2017." guttmacher.org/fact-sheet/adding-it-up-contraception-mnh-2017.

Guttmacher Institute. "Induced Abortion Worldwide." September 2017. guttmacher.org/fact-sheet/induced-abortion-worldwide.

Haddad, Lisa B., and Nawal M. Nour. "Unsafe Abortion: Unnecessary Maternal Mortality." Reviews in Obstetrics and Gynecology 2.2 (2009): 122–126. ncbi.nlm.nih.gov/pmc/articles/PMC2709326/.

Human Rights Watch. "Trump's 'Mexico City Policy' or 'Global Gag Rule': Questions and Answers." Human Rights Watch, updated June 22, 2017. hrw.org/news/2017/06/22/trump-mexico-city-policy-or-global-gag-rule.

Hunter, Molly, and Fergal Gallagher. "Irish From All Over the World Are Flying Home to Vote in Ireland's Abortion Referendum."abc News, May 24, 2018. abcnews.go.com/International/irish-world-flying-home-vote-irelands-abortion-referendum/story?id=55380085.

Independent.ie Video Team. "'Ireland Has Lit a Beacon of Hope for Countries All Over the World'—Together for Yes campaign." Video produced for The Independent, 2:21, May 27, 2018. independent.ie/videos/irish-news/watch-ireland-has-lit-a-beacon-of-hope-for-countries-all-over-the-world-together-for-yes-campaign-36950876.html.

International Women's Health Coalition. "Trump's Global 'Protecting Life' Policy Endangers Lives." May 16, 2017. https://iwhc.org/2017/05/trumps-global-protecting-life-policy-endangers-lives/.

Irish Family Planning Association. "Abortion in Ireland: Statistics." 2016. ifpa.ie/Hot-Topics/Abortion/Statistics.

Mundasad, Smitha. "Abortion Study: 25% of Pregnancies Terminated, Estimates Suggest." bbc News, May 12, 2016. bbc.com/news/health-36266873.

Sang-Hun, Choe. "South Korea Confronts Open Secret of Abortion." New York Times, Jan. 5, 2010. nytimes.com/2010/01/06/world/asia/06korea.html.

Sherwood, Harriet. "Savita Halappanavar's Father Thanks Irish Voters for 'Historic' Abortion Vote." Guardian (international edition), May 26, 2018. theguardian.com/world/2018/may/26/savita-halappanavar-father-thanks-irish-voters-forhistoric-abortion-vote.

Smyth, Catherine. “Abortion: uk ‘Breaches NI’s Women’s Rights.’” bbc News, Feb. 23, 2018. http://bbc.com/news/uk-northern-ireland-43167255.

Whitten, Diana, dir. Vessel. United States: Sovereignty Productions, in association with Fork Films, Impact Partners, and Chicken and Egg Pictures. 2014. 1 hr. 26 min.

World Health Organization. “Unsafe Abortion Incidence and Mortality.” World Health Organization, 2012. http://apps.who.int/iris/bitstream/10665/75173/1/WHO_RHR_12.01_eng.pdf.

CHAPTER FIVE

Abortion Rights Coalition of Canada. “Position Paper #100: Why ARCC Supports Reproductive Justice.” December 2015. arcc-cdac.ca/postionpapers/100-reproductive-justice.pdf.

American Civil Liberties Union. “After a Month of Obstruction by the Trump Administration, Jane Doe Gets Her Abortion.” American Civil Liberties Union and the aclu Foundation, Oct. 25, 2017. aclu.org/news/after-month-obstruction-trump-administration-jane-doe-gets-her-abortion.

Barar, Rana. “Rana Barar’s Abortion Story.” We Testify: Our Abortion Stories. https://wetestify.org/stories/rana-barars-abortion-story/.

Bracey Sherman, Renee. “Who Should You Listen to on Abortion? People Who’ve Had Them.” New York Times, May 20, 2017. nytimes.com/2017/05/20/opinion/sunday/abortion-people-whove-had-them.html.

Bracey Sherman, Renee. “We Testify’s Origin Story.” We Testify: Our Abortion Stories. August 2016. https://wetestify.org/stories/we-testifys-origin-story/.

cbc News. “Abortion Pills Accessed Online Are as Safe, Effective as Clinics: Study.” May 16, 2017. cbc.ca/news/health/medical-abortion-telemedicine-1.4118688.

crea. “#Abort the Stigma: For Safe Abortion Access and Reproductive Justice.” creaworld.org/abortthestigma.

Cruz, Caitlin. “Dr. Willie Parker Wants to Take Back the Moral High Ground on Abortion.” Rolling Stone, April 10, 2017. rollingstone.com/politics/features/willie-parker-taking-back-the-moral-high-ground-on-abortion-w475403.

Grant, Kelly. “Abortion Pill’s Canadian Launch Delayed by Lack of Coverage, Distribution Rules.” Globe and Mail, updated March 23, 2017. theglobeandmail.com/news/national/abortion-pills-canadian-launch-delayed-by-lack-of-coverage-distribution-rules/article34181063/.

Gutiérrez, Jack Qu’emi. “Jack Qu’emi Gutiérrez’s Abortion Story.” We Testify. https://wetestify.org/stories/jack-quemi-gutierrezs-abortion-story/.

Hernandez, Yamani. "Want to Win on Abortion? Talk About It as an Issue of Love, Compassion." Rewire, June 7, 2017. https://rewire.news/article/2017/06/07/want-win-abortion-talk-issue-love-compassion/.

Ipas. "Using Street Theater to Teach About Safe Abortion." Ipas, Aug. 3, 2016. http://spotlight.ipas.org/using-street-theater-to-teach-about-safe-abortion.

Landers, Elizabeth. "Vice President Mike Pence Speech Right at Home at March for Life." cnn, updated Jan. 27, 2017. cnn.com/2017/01/27/politics/mike-pence-march-for-life-speech/index.html.

1 in 3 Campaign. "1 in 3." 1 in 3 Campaign: A Project of Advocates for Youth. http://1in3campaign.org/.

Parker, Willie. Life's Work: A Moral Argument for Choice. New York: Simon and Schuster, 2017. Quotes from p. 27.

Planned Parenthood Toronto. "Trans and Nonbinary Youth Inclusivity in Sexual Health Guidelines for Sexual Health Service Providers and Educators." April 2016.
ppt.on.ca/ppt/wp-content/uploads/2016/04/Trans-and-nonbinary-youth-inclusivity-in-sexual-health-guidelines-FINAL.pdf.

Reproductive Justice New Brunswick. "Help Us Ensure Access to Safe Abortion in N.B." FundRazr, 2014. https://fundrazr.com/campaigns/aoCmf.

Richards, Cecile. "Planned Parenthood Action Fund's Statement on Donald Trump's Election as Next President of the United States." Planned Parenthood press release, Nov. 9, 2016. plannedparenthoodaction.org/pressroom/planned-parenthood-action-funds-statement-donald-trumps-election-next-president-of-the-united-states.

Ross, Loretta. "Understanding Reproductive Justice." Trust Black Women, updated March 2011. trustblackwomen.org/our-work/what-is-reproductive-justice/9-what-is-reproductive-justice.

West, Lindy. "I Set Up #ShoutYourAbortion Because I Am Not Sorry, and I Will Not Whisper." Guardian, Sept. 22, 2015. theguardian.com/commentisfree/2015/sep/22/
i-set-up-shoutyourabortion-because-i-am-not-sorry-and-i-will-not-whisper.

PHOTO CREDITS

p. 3: Courtesy of the Global Justice Center

Introduction: p. 16: Warren K. Leffler, U.S. News & World Report Collection, Library of Congress; p. 17: Sebastian Kaczorowski/iStockphoto.com; p. 19: courtesy of Women on Waves Foundation; pp. 20–21: courtesy of the National Network of Abortion Funds

Chapter One: p. 23: Wikimedia Commons; p. 25: Heather Ault/4000 Years for Choice; p. 27: courtesy of the Atwater Collection of American Popular Medicine, Edward G. Miner Library, University of Rochester; p. 28 (clockwise from top): Wikimedia Commons, Wikimedia Commons, Library of Congress (New York Herald, April 13, 1840), Wikimedia Commons; p. 29: courtesy of Journal of Obstetrics and Gynaecology Canada (jogc); p. 32: Ben Holbrook, courtesy of Judy Rebick; p. 33: Joseph A. Labadie Collection, University of Michigan (CC BY 4.0); p. 35: Bev Grant/Getty, second-wave feminist, photojournalist and member of New York Radical Women; p. 36: courtesy of Elliott Landy

Chapter Two: pp. 40–41: courtesy of Judson Memorial Church; p. 42: Bev Grant/Getty, second-wave feminist, photojournalist and member of New York Radical Women; p. 43: public domain; p. 44: Comics for Choice, excerpt from "Jane," written by Rachel Wilson, art by Ally Shwed; p. 47: courtesy of Women Make Movies; p. 48: courtesy of Steve Woit; p. 49: Leif Skoogfors/Camera Press/Redux; p. 50: Lorie Shaull/Wikimedia Commons; p. 51: courtesy of York University Libraries, Clara Thomas Archives & Special Collections, Toronto Telegram fonds, ASCASC06160; p. 52: courtesy of Sarah N. Harvey; p. 54: The Canadian Press/Chuck Mitchell; p. 56: courtesy of Errol Young; p. 58: courtesy of Jackie Larkin; p. 61: Edward Regan/
The Globe and Mail; p. 63: Jarrah Hodge, courtesy of Joyce Arthur

Chapter Three: p. 66: Chad Griffith, courtesy of Dr. Willie Parker/Religious Coalition for Reproductive Choice; p. 69: Drew Altizer Photography; p. 70: courtesy of Medical Students for Choice; p. 71: courtesy of David Imbago Jácome; p. 72: courtesy of Benita Ulisano; p. 73: Rena Schild/Shutterstock.com; p. 76: courtesy of If/When/How: Lawyering for Reproductive Justice; p. 77: from Jane's Due Process 2016 Impact Report; p. 78: courtesy of Stephanie Pineiro; p. 82: NARAL Pro-Choice America/Flickr (CC BY 2.0);
p. 86: courtesy of Catholics for Choice; p. 88: Joel Carillet/iStockphoto.com.

Chapter Four: p. 93: worldabortionlaws.com/map; p. 94: Michael Stravato; p. 96: Comics for Choice, excerpt from "Undue Burdens," by Hallie Jay Pope; p. 99: courtesy of the Global Justice Center; p. 100: courtesy of eva (Education As Vaccine); p. 101: Creative Commons/Wikimedia (CC BY-SA 4.0); pp. 102–103: William Murphy, Flickr (CC BY-SA 2.0); p. 104: courtesy of School Students for Choice; p. 105: Alastair Moore; p. 106: epa/Aidan Crawley; pp. 107–109: courtesy of School Students for Choice; p. 110: praszkiewicz/Shutterstock.com; p. 112: Irontrybex/Dreamstime.com; p. 113: Ringel Goslinga; p. 114: courtesy of Women on Waves Foundation;
p. 115: Marc Godefroy, courtesy of Women on Waves Foundation; p. 116: Willow Paule, courtesy of Women on Waves Foundation; p. 118: courtesy of Women on Web; pp. 119–120: courtesy of Hazal Atay; p. 121: courtesy of the National Network of Abortion Funds; pp. 122–123: courtesy of Lova Andrianina Randrianasolo; pp. 124–125: courtesy of Isabel Pérez Witzke.

Chapter Five: p. 128: courtesy of the Wilson Center; p. 129: courtesy of Sister Song; p. 131: Lorie Shaull/Flickr (CC BY-SA 2.0); p. 133: courtesy of Physicians for Reproductive Health; p. 134: John Lehmann/The Globe and Mail; p. 136: courtesy of the National Network of Abortion Funds; p. 139: Lauryn Gutierrez © Rewire.News; p. 141: Comics for Choice, excerpt from "Choices," written by Yamani Hernandez, art by Sharon Rimann; p. 142: courtesy of Ian Selig; p. 144: courtesy of Adrian Eoin Edgar; p. 145: creaworld.org/abortthestigma; p. 148: courtesy of Advocates for Youth; p. 147: #ShoutYourAbortion and PM Press;
pp. 148–149: courtesy of Maddy Rasmussen; p. 153: courtesy of the National Network of Abortion Funds; pp. 155–163: Comics for Choice, "Butterflies," written by Renee Bracey Sherman with art by Kennedy Tarrell

Every effort has been made to locate and credit the correct copyright owners of the images used in this book. The publisher apologizes for any errors or omissions and would be grateful if notified of corrections that should be made in future reprints or editions.

謝辞

本書を書いていて良かったと思うのは、多くの優秀な方々とお話しし、学ぶ機会を得られたことです。私の質問に答え、知識や経験を共有し、情熱と献身で私を鼓舞してくれるなどの形で協力してくれたみなさまに心から感謝しています。だれもがこの本について大いなる励ましと熱意を示してくれました。とても寛大で、思慮深く、洞察に富んでいる人々でした。この本にもっと多くの引用や情報や物語を盛り込む余地があれば良かったのにと思います。このプロジェクトに協力してくれたすべての方々に感謝しています。名前をあげきれないほどたくさんの人がいますが、特に以下の人が重要な貢献をしてくれました。本書に不備や脱落、間違いがあれば、もちろん私自身の責任です。

私の最愛の友人パット・スミスには、本書を書くことをすすめてくれたこと、アクティビストや医師を紹介してくれたこと、執筆中に私のアイデアや言葉にフィードバックをくれたことに感謝しています。あなたがいなければ、本書は存在しませんでした。

また、リプロダクティブ・ジャスティスの提唱者であり、中絶体験談語りの専門家として、幅広い知識と洞察力、経験を共有してくれたレネー・ブレイシー・シャーマンにも感謝します。レネーはまた、この本の重要な部分を占めている他の人々の言葉や物語、アートワークを紹介してくれました。また、彼女自身の中絶の物語を掲載することを承諾してくれました。それはこの本の最後の（しかも美しい）ページになりました。完璧なエンディングに、本当に感謝しています。

カナダのアクティビストであるジョイス・アーサー、ジャッキー・ラーキン、ジュディ・レビックには、カナダにおける中絶権運動の歴史に命を吹き込んでいただき、現在の問題に関する私の理解を深めていただき、大変助かりました。社会学者でリプロダクティブ・ライツのアドバイザーであるキャロル・ジョフは、包括的な複数の本を通して、また電子メールを通じた私の質問にすべて答えてくれたし、国境の南側［訳注：アメリカ］における中絶権の歴史と問題についても同様に貢献してくれました。「ジェーンズ・デュー・プロセス」のアマンダ・ベネットは、司法バイパスのプロセスと、それを経験した10代の若者たちの体験を理解するのを助けてくれました。カナダの医師でリプロダクティブ・ライツの提唱者であるエレン・ウィーブは、薬による中絶と遠隔医療について時間を割いて教えてくれました。ニューブランズウィック州の医師であるエイドリアン・オーウェン・エドガーは、カナダの大西洋州で中絶を受ける難しさやトランス・インクルージョンのことを話してくれました。また、トリスタン・エンジェル・リースも、トランスジェンダーの人々のリプロダクティブ・ライツの問題について私の理解を深めてくれました。みなさま、ありがとうございました。

国際女性健康連合のフランソワーズ・ジラードからは、全世界におけるリプロダクティブ・ライツとヘルスに関する専門知識を教わり、その情熱が私にも伝わってきました。フランソワーズと「セクシュアル＆リプロダクティブ・ライツのための青年連合」のサラ・ヘッジシュウが世界中のアクティビストを紹介してくれたおかげで、本書の内容はより良いものになりました。

そして、本書のページに言葉や物語、写真を提供してくれたすべてのアクティビストのみなさま。お話しできてどれだけ楽しかったか、言葉では言い表せません。ファデケミ・アキンファデリンーアガラウ、ヘイザル・アテイ、ミーガン・ブラディ、ジョディ・ドイル、シャノン・ハーディ、デヴィッド・インバゴ・ジェイコム、ステファニー・ピネイロ、ラバ・アンドリアニナ・ランドリアナソロ、マディ・ラスムセン、ニアム・スカリー、イザベル・ペレス・ウィツク、みなさまは私にインスピレーションを与えてくれます。私を助けてくれたこと、そして私たちの世界をより良い場所にするためにしてくれたことに、心から感謝します。

また、原稿を読み、心のこもったコメントをくれたみなさん――ハイディ・ダロック、エリ・ダロック、マヤ・ホープ＝クリーヴズ、チェリル・メイ、パット・スミス、イルサ・スティーヴンソン、ジャイルズ・スティーヴンソン――本当にありがとうございました。

また、作品を提供してくれたすべてのアーティストや写真家にも感謝を捧げます。すばらしい本『コミックス・フォー・チョイス』を編集したヘイゼル・ニュールヴァントは、このページに掲載されている作品を提供してくれたアーティストや作家と連絡を取るのも助けてくれました。

オルカ・ブック・パブリッシャーズのアンドリュー・ウールリッジ、今回も「イエス」と言ってくれてありがとう。私の有能な編集者、サラ・ハービー。このテーマに対する私の情熱を共有してくれたことは、私にとって大きな意味がありました。アートディレクター兼デザイナーのテレサ・ブベラは、本書を美しく仕上げるために数え切れないほどの時間を費やしてくれたばかりか、私にとって何が重要かを理解し、その優先順位を画像やデザインに反映させるために努力してくれました。また、すばらしいイラストを描いてくれたミーグス・フィッツジェラルドにも感謝しています。そして、オルカポッドのみなさま、いつもありがとうございます。一緒に仕事をするのに最高のチームに恵まれ、私はこれ以上ないほど幸運です。

そして最後に、私のすばらしい両親、パートナー、息子に感謝の気持ちを込めてハグをしたいと思います。さまざまな面で私を愛し、支えてくれたこと、リプロダクティブ・ライツについて私が語るのを辛抱強く時間をかけて聞いてくれたことに、ありがとう。

索引

アメリカ

2017年から4年間続いたトランプ政権のあいだに最高裁の判事9名中6名を保守派が占めるようになり、中西部の複数の州がより厳しい中絶規制に意欲を示している。2021年9月にテキサス州では、胎児の心拍（電気信号）が確認できる妊娠6週目以降はレイプや近親姦による妊娠の場合でさえも中絶を禁止する州法が施行された。

アイルランド

2019年1月、新法に基づく中絶サービスが開始され、無料で安全かつ合法的な中絶が提供されるようになった。妊娠12週まではオンデマンドの中絶が受けられるが、3日間の待機期間のために実質的に中絶を受けられなくなる人々もいる。また、妊娠12週目以降は厳しく制限がかけられているため、堕胎罪を恐れて慎重な態度の医師たちもいる。

カナダ

人工妊娠中絶は、妊娠の全段階で理由を問わず合法であり、連邦政府の健康法と州の医療制度の併用により、医療行為として公的に資金提供されている。サービスやリソースへのアクセスの良し悪しは地域によって差が大きく改善が求められているが、中絶に関して法的な規制が皆無になった最初の国である。

韓国

2019年4月に憲法裁判所が中絶禁止を違憲とし、2020年末までに法改正を命じた。政府が期限までに法改正できなかったために、1953年に作られた刑法堕胎罪は2021年1月1日をもって廃止され、中絶は脱犯罪化された。2021年3月、ヒュンダイ製薬は中絶薬の承認申請を行ったが、10月末時点ではまだ承認が下りていない。

北アイルランド

2019年に中絶が非犯罪化され、英連邦全域で中絶が合法に行えるようになった。2020年3月には中絶サービスに関する新たな法的枠組みが発効した。女性たちにとっては大きな一歩となったが、北アイルランド内で中絶サービスを受けられる施設が限られているため、イギリスの他の地域まで行かなければ中絶が受けられないことがまだある。

ポーランド

2020年10月に憲法裁判所は、重度で不可逆的な胎児障がいの場合にも妊娠を終わらせることは違憲であるとの判断を下し、従来からヨーロッパで最も制限の厳しかった中絶法をさらに厳格化した。これにより、性暴力による妊娠の場合か妊娠した女性の命にかかわる場合以外の中絶がほぼ全面的に禁止されることになった。

ポルトガル

2004年のWomen on Wavesの中絶船によるデモンストレーション後、2007年2月の国民投票で中絶の自由化が承認され、妊娠10週まで指定医療機関においてオンデマンドの中絶が行えるようになった。しかし、近年になってプロライフ派の反対運動により、中絶やカウンセリングの公費負担が撤回されるなど逆風が吹いている。

日本

1907年の刑法堕胎罪で中絶を原則禁じていながら、1948年の優生保護法（1996年からは母体保護法）によって一部の中絶を合法化しているが、国連女性差別撤廃委員会から差別的な中絶関連法を見直すよう勧告を受けている。中絶薬が未承認であるばかりか、今も古い掻爬手術が主流であるなど、諸外国に比べて技術的な遅れも目立ち改善の余地が大きい。

#なんでないの
世界と同じようなレベルの安全な女性の医療

「エンパワメントのシャワーだ……！」

これが、私がこの本を読み最初に感じた率直な感想でした。安全な中絶のために立ち上がる古今東西の女性たちの姿。インターネットはもちろん、船やドローンまでをも駆使しながら必死に中絶を求め、またどんな妨害にも負けずに中絶を医療として、権利として、提供しようとする人々の姿。そんな人々を次々と目の当たりにする中で、これまで塗りたくられてきた中絶へのスティグマが少しずつ剥がれ落ちていく。そして読み終わる頃には、安全な中絶を自分の「権利」と感じられる感覚がむくむくと湧き上がっている。同時に、これまで他者の手にあるかのように思わされてきた自分のからだについて決める力が、様々な妨害、障壁を乗り越え、自分に戻ってくるような、そうなることで、自分の本来持つ力、能力が解き放たれ、自分で今を、未来を描けるんだという希望を持てるような、まさにエンパワメントの過程を経験したような気がしています。本書を読み、似た感覚を抱いた読者の方は少なくないのではないでしょうか。そのようにして読者ひとりひとりの中で体得された、自分のからだの、そして人生のオールは自分で握れるんだ、それはすばらしいことなんだという揺るぎない感覚は、今後、容易に掻き消されることはないでしょう。

私はこれまで何度か、似たような感覚に遭遇したことがあります。それはたとえば、足掛け3年のスウェーデンでの生活で目の当たりにした、本書でも印象深く登場する若者の性と生殖に関する健康と権利を本気で守ろうとする大人たちの姿です。

日本で生まれ育った私にとって、「性に関して正しい知識を持つこと」や「避妊」まして「中絶」は人に隠すべき、恥ずかしい、よくないことだと思っていましたし、周りに溢れる家父長制を内包した言葉や制度の嵐の中で、自分で自分の体を主体性を持ちコントロールすることは、女性としてあまり好ましくないこととさえ思わされてきました。実際、私が日本で低用量ピルを10代で求めた際には、その裏にどんな事情があるかなんてことは一切考慮されないまま、待合室にいた女性たちからも、医師からも、居心地がいいとはお世辞にも言えない視線を浴びたことを今でもはっきり覚えています。そういう視線の中で、言葉にならない罪悪感、絶望感、孤独感、今でこそ言葉として言える「スティグマ」に私の心は塗り潰されていきました。

しかしそれが大きく変わったのが、スウェーデンで若者を対象に、心やからだに関して対応するユースクリニック（ungdomsmottagningen）を訪れた時のことです。とても綺麗な内装の待合室には若者だけが入れるため、あの冷たい視線もなければ、居心地の悪さもありません。相談内容の幅も広いので、どんな理由で来ているのかを勝手にジャッジされる心配もありませんでした。そして緊張しながら助産師さんとの会話を始めてみると、「自分のからだ、将来をちゃんと考えてここに来て、偉いわね！」と底抜けにポジティブな対応をしていただき、その瞬間、私の中で避妊や性について向き合うことのイメージが180度大転換しました。本書でも、中絶を受ける時にはどんな恐ろしいネガティブな声をかけられるだろうと不安に思っていた女の子が、それと全く反対のオープンな対応がなされ心救われるシーンが描かれていますが、まさにその瞬間そのものだったように思います。

その上で、私の場合は、日本では見たことも聞いたこともない様々な避妊法が目の前で紹介されました。日本では承認されていない避妊インプラント、リング、パッチ。また日本にある経口避妊薬も、日本では避妊法としては認可がないミニピルが存在し、子宮内避妊具（IUS/IUD）に関しても、日本にはない、子供を産んだことがない人でも負担が少なく使える小さいタイプのものが存在していました。毎日飲むピルから、週毎のサイクルになるリング、パッチ、一度挿入すれば数年単位で高い効果のあるインプラントや子宮内避妊具など、それぞれ使い方や交換の頻度、手間が異なります。それらを提示された上で、「自分の性格やからだ、ライフプランにあうものを考えてみてね！　わからないことがあればいつでも来て頂戴」と声をかけてもらったのです。（自分で選んでいいんだ、選べるんだ！）ととても心嬉しく感じたことを今も覚えています。ちなみに、2021年現在、スウェーデンでは21歳以下の若者には全ての避妊法が無料で、25歳以下であれば安価に済むようになっています。例えば私の住む地域では21歳をすぎても、25歳以下は1年で100SEK（1200円程度）と決まっています。だから、避妊が全て自費の日本のように、価格が障壁になることもほぼないと言えます。日本では、こういったことへの公的な資金の投入には強い反発が間違いなく起こるでしょうし、私もはじめは信じられない気持ちでした。そこで助産師さんに国内で反発はないのかと聞くと、「反発はまず聞かない。私たちもこの仕組みに若い頃助けられたから、次の世代も同じように支えられてほしいと思うのではないかな」という答えが返ってきました。大人が私たちを本気で守ろうとしてくれていることを、心から感じた瞬間でした。同時に「自分を大切に」と言葉ではいいながら自分を守る術を用意してくれない日本の現状に、大きな不条理を感じた瞬間でもありました。

こういった状況はスウェーデンだけで見られることではありません。たとえばイギリスでは、処方箋があれば16歳以下の若者も含め全ての年齢の人に、避妊法が無料で提供されます。それに加え、コロナ禍であっても避妊を必要な人が確実にアクセスできるように、日本では避妊法として承認すらされていない、血栓症のリスクが低いミニピルを処方箋なしで薬局で販売することを決めました。薬局販売の場合ミニピルは1カ月1000円程度になる予定ですが、それでも高額だとして、アドボカシー活動も続いています。また、フランスでは、2013年より15歳から18歳までの若者にあらゆる避妊法とそれに関わる一切の検査やカウンセリングを無料で提供していましたが、2020年からはそれを15歳以下にも拡大しました。しかし、いまだ若者の多くが値段を理由に避妊を断念しているという現状を受けて、2022年から避妊無料の対象が25歳に引き上げられることが決まりました。また、25歳以上であっても、避妊にかかる費用のおよそ65%は払い戻される形です。毎月の低用量ピルに2000円程度、高い場所では4000円程度の場所もある日本とは大違いです。

さらに、緊急避妊薬についても日本と世界では大きな乖離が見られます。緊急避妊薬とは、避妊が行われなかったセックスや避妊が十分でなかったセックス（コンドームの破損や脱落、膣外射精、膣内射精、低用量ピルの飲み忘れ、性暴力被害など）があった際に、72時間以内に、できるだけ早く服用すれば緊急的に高い確率で妊娠を防げる薬のことです。そういった時間的な問題もあり、世界90カ国以上で薬局で処方箋なしで入手することができます。WHOは「緊急避妊薬は、思春期を含むすべての女性が安全に使用できる薬であり、医学的管理下におく必要はない」とし、事前に手元に置いておくことすら推奨しているほどです。実際、日本を除く主要先進7カ国（G7）では全て処方箋なしで薬局での入手が可能、800円から5000円程度で、フランスやドイツなどでは若年層には無料という状況があります。しかし日本ではオンライン診療での処方箋入手は例外的に認められたものの、処方箋が必要なことに変わりはなく、値段も6000円から2万円程度と高額な状況が続いています。オンライン診療では結果的に72時間以内に間に合わないケースもあります。

さらに中絶となると、本書で大いに述べられている中絶薬は日本で認可されておらず、選択肢は手術のみ。WHOから「時代遅れの方法」とされる掻爬法が行われているクリニックも少なくありません。値段も初期中絶でさえ10～20万円と高額です。さらには原則配偶者からの同意も必要と法律で定められており、国連からも勧告を受けています。以下、#なんでないのプロジェクトに届いた声をご紹介します。

「私は大学生の時に望まない妊娠を経験しました。パートナーは浮気をし私を酷く扱い見捨て、親にも相談できず。日本では偏見があるため友人にも相談できず。ただ一人で消費者金融からお金を借り中絶手術を受けました。その後時給の高いホステスのアルバイトをし、学業と両立をさせながら何とかお金を返したものの、『孤独』だったあの時の事は思い出す度に涙が出ます。気軽に相談できる場所があれば、低用量ピルが簡単に手に入り避妊ができていれば、アフターピルを手に入れるハードルが低ければ、手術が不安にならない環境があれば。あの時なんでなかったの」

たとえばスウェーデンの場合、1975年以降、権利として18週未満の中絶が無料で受けられる法律が定められています。そこにはスウェーデン人以外、すなわち外国人や難民なども含まれます。18週から22週の場合は、特別な理由と社会庁からの許可が必要ですが、2020年に行われた約3万4600件の中絶のうち、99%が18週未満に行われています。そのうち、85%の中絶は9週前に、60%の中絶が7週前に行われていました。そして96%の中絶が中絶薬で行われています。

このような状況なので、日本の避妊や中絶の現状を海外で開催される国際会議などで説明すると、最初は驚きで静まり返り、最後には「こんな状況で日本で生きる女性はどうやって自分の体を守っているんだ⁉」「それでは若い人がアクセスできなくて当然……」と怒りや呆れの声、ため息で会場がいっぱいになるのを見てきました。中には「ネパールでは避妊法が全部無料であって、私は看護師で避妊法の知識は完璧だから、日本に行って避妊法のこと伝えようか！」と言ってくれる人もいましたし、ガーナから参加していた同世代のアクティビストの女性は「その状況おかしいよ！　私たちの基本的な権利なのに、それが侵害されたままで日本のひとたちは怒らないの⁉」と本気で怒ってくれました。私たちの置かれている状況はそれだけ過酷なのかと改めて驚くと共に、一人じゃないんだと心強く思えた瞬間でした。まさにこの本で描かれているような、SRHRを求める人々の間で生まれる連帯感を感じた瞬間です。そして、この本で取り上げられているアクティビストたちも日本の状況を伝えればきっと同じように一緒に立ち上がってくれる仲間であり、決して私たちから隔絶された遠い存在ではないと読者の皆さんにはどうか伝わってほしいです。ここには海を越えた連帯と闘いがあります。

そうは言いながらも、きっとこの本を読みながら、どこか遠い場所の話と感じたり、ふと自分の置かれた状況を思い返しては、あれもないしこれもない、と深いため息をついた方も大勢いると思います。確かに、せっかく選択肢を知り、さらにアクセスが権利とさえ身に染みた上で手に入らないというのはこの上なく残酷なことだと私も常日ごろ感じています。しかしながら、本書でも述べられているように、私たちは知らないものを求めることはできません。そして求める声を上げなければ、立ち上がらなければ、選択肢が勝手に空から降ってくることもありません。本書には、1910年ごろ、男性中心のアメリカの医療界において他職種の人間、特に産婆をはじめとする女性たちに守備範囲を奪われたくないが故に、さまざまな理由をつけて中絶を犯罪化し医師の管理下に置いたことが紹介されています。日本でも、政治の世界も医療の世界も中心にいるのが既得権益を握る高齢男性という現状がある限り、黙っていては変化は訪れないのです。

日本には、経口避妊薬ピルの認可が1999年と国連加盟国の中で最も遅く、その認可にも「権利」の視点はなかったという歴史があります。開発から40年以上経っても経口避妊薬を認可しなかった政府が、ペニスのための勃起不全治療薬バイアグラをわずか半年の検討で1998年に承認した際に、国際社会から公の場で批判されるのを恐れ、初めて承認されたに過ぎません。中絶が世界でもいち早く実質的には可能になったのも、戦後の食糧難の時期に子供が増え過ぎては困るという国の都合に過ぎませんでした。現在も、少子化解決に「貢献」する「出産」には光と称賛が集まるのに、「避妊」、「中絶」をはじめ、国家に直接的には「貢献」しないとされる女性の選択には殆ど光が当たらず「権利」の視点が存在しないのは、決して偶然ではないのです。

しかしそれを変えるために、日本を含む世界中からアクティビストが集結し意見をぶつけ合い1994年、1995年に生まれたのが「性と生殖に関する健康と権利」です。国家の都合ではなく、私たちの選択が大切にされる社会を、それを権利として訴えられる社会を、先人たちは切りひらいてきました。だからこそ、ここで落ち込んでいる暇は私たちにはないのだと私は思います。本書を通じて、中絶薬という選択肢を知るだけでなく、中絶薬を使う権利を身をもって感じることのできた私たちが、そして、共に闘う仲間は世界中にいることを知れた私たちが、ここにいます。立ち上がるのに、遅すぎることはありません。私たちは未来のチェンジ・メーカーではなく、もはや今を変える今のチェンジ・メーカーです。権利の実現をみなで笑顔で晴れやかに祝える日、そしてここに書いたことが遠い昔の話となる日は、私たちが力を合わせれば、決して不可能ではないと私は信じています。選択肢と権利を知った私たちは強いです。その強さがどうか、あなたが自分の望む人生を歩く力になるように、そして今を、未来を変える力になるように、心から願っています。

2021年12月

福田和子

訳者あとがき

私が中絶と流産を経験してからすでに40年近い月日が流れましたが、いまだに日本の中絶事情は改善されたとは言えない状況です。今でも大勢の女性たちが、かつての私同様に罪悪感に苦しんで自分を責めています。だけど長年悩んできた末に、一念発起して中絶問題と真正面から取り組んできた今の私に見えているのは、もし中絶が悪であるのなら、それは社会のせいであり、中絶に苦しむ女性たちは社会の中絶に対する罪悪視を内面化しているだけだということです。

女性の中絶の権利のために闘ってきた北米2カ国の歴史を明らかにしているこの本を見つけた時、私自身がエンパワーされ、日本の読者にもぜひ読んでほしいと思いました。知識はパワーです。知識を共有することで、私たちは一緒に中絶を罪悪視してくる社会に立ち向かって叫ぶことができるようになります。

中絶の権利やリプロダクティブ・ジャスティスの知識に照らしてみると、日本の中絶政策のおかしさがよくわかります。日本では中絶を受けるのに配偶者と医師の許可が必要ですが、そんな国は今や世界の少数派です。日本の中絶医の多くが今も掻爬手術を用いていますが、西欧のほとんどの国々では1970年代前後に「女性の権利」として中絶が合法化された時に、掻爬よりも安全な吸引を導入し、1990年代以降、特に21世紀に入ってからは安全でプライバシーを守れる中絶薬が急速に広まっています。

日本では明治期に作られた刑法堕胎罪のために、今も中絶は犯罪です。100年以上も前の「女は子産み・子育てを通じて家に奉仕すべき」という古い価値観が今も生きているのです。

明治～昭和初期の日本政府は、長かった鎖国を解いて世界の列強の仲間入りをしようと近隣諸国への侵略戦争に乗り出し、1931年の満州事変をきっかけに太平洋戦争へと突っ走っていきました。戦時下ではいわゆる「産めよ殖やせよ」の政策を強引に進め、戦前にすでに芽生えていた人々の少産への志向は、自分勝手な個人主義や享楽主義だと糾弾されました。婚姻年齢の引き下げと、夫婦あたり平均5児という出産目標値も掲げられ、国民は「総動員」で戦争協力させられる中、女はまさに「出産の道具」にされたのです。

しかし、1945年8月に敗戦した日本は、一転して人口過剰問題に直面することになりました。焦土と化した狭い国土に海外からの引き揚げ者や復員兵が大勢帰還してきて、空前のベビーブームが起こり、日本の人口は5年間に1千万人も増えました。外国人兵士による買春や強姦の結果としての望まれない妊娠の問題も発生しました。その結果、ヤミ中絶が横行するようになり、危険な施術で命を落とす女性も少なくありませんでした。一方で、国民の困窮と極端な食糧や生活物資の欠乏による生活難は厳しく、国家的な対応が必要とされたのです。

戦前から産児調節運動を広めようとして国から弾圧されていた数人の運動家たちは、戦後初の国政選挙で社会党の国会議員になっていました。彼女たちは1947年に避妊と中絶を合法化する法案を提出したのですが、審議未了で廃案になってしまいました。1948年、のちに日本医師会長になった保守派で産婦人科医の参議院議員は、自分が提案した方が通過しやすくなると社会党の議員たちにもちかけて、戦前の国民優生法を改正する形で優生保護法を成立させました。ただし、可決した優生保護法案からは避妊の条項が消されていたのです。さらに、指定医師制度という事実上、一部の産婦人科医が中絶業務を独占できるような内容も盛り込まれていました。翌年には「経済条項」も加えられ、当初盛り込まれていた地区優生保護委員会の審査制も1952年には廃止されて、事実上、指定医師一人の判断でほぼすべての中絶が行える体制が整えられていきました。

中絶は国内外で長らく禁止されていたため、日本の医師たちは合法的な中絶を行うために様々な工夫を重ねなければなりませんでした。ほどなく不全流産の治療で用いられる掻爬手術を妊娠初期の中絶の第一の手法とするようになり、研鑽を積んで、やがて自分たちの腕前を誇るほどにもなりました。

一方、優生保護法が制定された当初、中絶可能な妊娠週数の規定はなかったので、生きて産まれるケースも少からず含まれていたようです。生まれてから、医療者たちが何らかの手をくだしたとか、亡くなるまで放置したといった証言も残っています。実際、自然流産は医療の発達とともに減っていくものですが、戦後はなぜか増加傾向だった時期があります。中絶の現場を知る医師や助産婦たちは、中絶数が年間100万件を超えていた1950年代にいち早く中絶児の供養を始めました。そんな当時の悲惨な実情も中絶のスティグマを強める一因になったと思われます。

中絶体験者自身が自分の中絶胎児の供養を始めたのは、1970年代に入ってからのことです。先駆のひとつは1971年に関東の山奥に作られた地蔵寺でした。水子供養に専念するこの寺の初代住職は、ある時、心の病の半数以上が「中絶の後遺症」だと気づいて、水子地蔵を祀（まつ）る寺を建立したのだといいます。寺に祀るための石造りの地蔵もこの寺で販売されており、奉納された地蔵は1万5000体を超えるそうです。この住職は、様々な病気や症状、悩み、困った問題などを抱える人には、それぞれ固有の因縁（原因）があるとして戒めては、水子の祟りをほのめかし、「丁寧に供養」すべきだと説きました。「中絶は女性の罪」とする水子供養の言説は女性週刊誌などで大々的に取り上げられ、他の寺社にも広まっていきました。

この寺の開山式には、当時の首相が他の議員たちも引き連れて参列しています。同首相は将来的な労働者不足が予測されるようになった1960年代の頃から、日本が海外から「堕胎天国」と呼ばれていることを嘆くようになり、悪名を返上するとして中絶を批判し始めたのです。

一方、神道系のある新宗教は、早くも1950年代末に中絶胎児の命を守る運動を開始していました。優生保護法の中絶規定のうち「経済条項」の撤廃を目指した運動を行っていたこの団体の息のかかった議員が国会に送り込まれ、他の宗教勢や多くの保守系国会議員の支持を取り付けて、1970年代と80年代の2度にわたって「優生保護法改正案」が国会に上程されました。

その頃、日本国内でも女性解放運動（ウーマン・リブ）が始まりました。なかでも目立っていたのが「中絶禁止法に反対しピル解禁を要求する女性解放連合（中ピ連）」でした。しかし、ピンクのヘルメットをかぶって大胆な運動をくり広げた中ピ連をマスコミは嘲笑的に取り上げるばかりでした。中ピ連の代表の女性は薬学の知識と製薬会社とのコネがあり、リブの女性たちにピルの試薬品を配ったりもしました。ところが、当時の高用量のピルは副作用も強かったため、他のグループの女性たちは、権利主張が強く、派手派手しく振る舞う中ピ連も、避妊ピルも全面的に拒絶しました。

中ピ連以外のリブの女性たちは、障がい者運動からの批判と向き合うことで堕胎罪廃止を叫ぶのはとりやめた一方で、経済条項が廃止されては中絶を受けられなくなると考えて、「優生保護法改悪阻止」の運動を展開しました。結局、優生保護法の改正案は、女性運動から猛反撃を受けて1970年代と1980年代の2度とも法改正には至りませんでした。しかし、その時に反中絶派が強弁した「中絶は悪いものだ」という認識は日本中に広められました。

欧米の女性たちが日本と違っていたのは、キリスト教を背景とした中絶禁止のために、非合法の中絶で死にいく姉妹たちを目の当たりにしていたことです。だから1960年にアメリカで避妊ピルが発売された時、女性たちは必死で避妊ピルを求めたのです。女性たちは「避妊ピルは私たちのものだ」と自分たちにはそれを要求できるだけの権限があるという強い「エンタイトルメント意識」を抱き、それを表明しました。初期のピルに強い副作用があることが判明したときにも、服用をやめるのではなく、「ピルの改善」を製薬会社に迫りました。さらに避妊ピルをのんでいても失敗することがあると分かった時、彼女たちは「中絶も合法化すべきであり、合法的中絶も私たちのものだ」と確信することができたのです。

一方、避妊ピルが出てきた頃の日本では、女性の権利のためではなく国の人口抑制策としてすでに中絶が合法化されており、戦後の受胎調節運動を通じて、コンドームによる避妊とバックアップとしての中絶というパターンに慣れ親しんでもいました。そのために、避妊ピルを求める動機が海外の女性たちほど強くはなかったのです。実際、日本の受胎調節運動は華々しい成果を挙げていました。戦後に病院出産が広まり手の余った開業助産婦たちは受胎調節指導員として起用され、集団指導と戸別訪問によるていねいな個人指導を行いました。避妊具を安く卸して販売させたこともインセンティブになり、助産婦たちはますます熱心に指導しました。避妊に失敗した女性たちは中絶するためまっすぐ病院に向かうので、助産婦たちはコンドームの失敗率が高いことを知らなかったという皮肉な事実も指摘されています。

本書で示しているように、海外の女性たちは自分たちの「中絶の権利」をまっすぐ求めたのですが、日本でそのような動きが見られなかったもう一つの理由は、日本人にとって「掻爬による中絶」のスティグマが非常に強かったためかもしれません。掻爬とは、細長いスプーン状の道具で子宮の中身を掻き出す外科的処置で、先に述べた通り、世界に先駆けて中絶が合法化された1940年代に日本の医師たちが採用した手法です。西欧では、掻爬は非合法の堕胎師たちが用いる方法だと考えられていたため、1970年代に女性の健康と権利のために中絶を合法化した国々では、掻爬ではなく「吸引」が好まれたのです。しかし日本では、慣習的に今でも中絶には掻爬が多用されているようです。

掻爬が中絶の前提になっていることで、日本では中絶は「生きている（赤ん坊のような）胎児を道具で掻き出す」という実態とは異なる残虐なイメージが共有されているように思われます。その漠としたイメージを可視化し、強化している要因のひとつは、1984年にアメリカで反中絶派によって作られ、日本のプロライフ派によってかなり広く配布されていた「沈黙の叫び」と題された動画です。中絶のために子宮内に挿し込んだ道具から逃げまわる胎児を描いたこの動画を学校の性教育で見せられたという人も少なくありません。

ところがこの動画はフェイクなのです。そもそも子宮内にぎゅっと詰まっている胎児にとって逃げ回れるようなスペースはないし、そのような画像を撮れるほど引いた位置にカメラを設置できるわけもないのです。ところが、いかにもそれらしく作られた画像やナレーション、プロライフに転向した元中絶医の証言などで騙されてしまう人が後を絶たないようです。

他にも「胎児の可視化」は中絶のスティグマと大いに関係しています。水子供養が普及していった1970年代から80年代にかけて、日本のマスメディアでも胎児写真を多用した反中絶キャンペーンが行われました。特に女性週刊誌などでは、水子の祟りを脅し、供養の必要性を訴えた水子供養寺などのタイアップ広告もかなり含まれていたようです。中絶の残虐さに憤りを感じたあるカメラマンは、中絶胎児を大写しにした写真展を各地で開いたそうです。

産婦人科にエコーが導入されるようになった結果、一般の人にも胎児映像は見慣れたものになっていき、胎児に感情移入する人も増えています。ちなみに、日本では中絶を希望しているかどうかを問わず、すべての女性に対してエコー写真を見せたり胎児心拍の音声を聞かせたりする医師が少なくないようですが、本書にも出てくる通り、海外では、女性の中絶の決心を揺るがそうとするプロライフの人々でもなければ、胎児の存在を女性にあえて意識させるようなことは行いません。日本でも、もっと女性たちの心に寄り添った配慮が必要ではないでしょうか。

なお、中絶費用が高くすべて自己負担であることも、中絶を他の医療と区別し、懲罰的なものにしています。今の日本の状況は、最も弱い立場の人々に過剰な負担を負わせています。昨今、中絶ができなかったためにトイレで孤立出産した若い女性の事件が報道されるたびに、残酷な日本の中絶事情に胸が痛みます。性教育も避妊も満足になく、中絶が法外に高くてアクセスしにくい、今の日本の状況を、一刻でも早く変えていくべきです。

私が日本の中絶では今も掻爬が多用されている問題に気づいたのは2004年で、以来、機会があるたびに「日本の中絶問題」を訴えてきましたが、2019年に北原みのりさんと一緒に中絶問題を一般の人たち向けに発信するイベントを行ったのが転機になりました。2020年9月の国際セーフアボーションデーをきっかけに、より多くの人々を巻き込んだオンラインイベントも毎月開催されています。以前から堕胎罪の問題に取り組んできた人々の教えを受けて、議員へのロビーイングやメディアへの情報提供も始めた結果、議員の関心も高まって国会での質問も増え、2021年7月、厚生労働省が古い掻爬はやめて「WHOが推奨している吸引」に切り替えるよう医師に向けて依頼を出しました。福田和子さんの「#なんでないのプロジェクト」や、緊急避妊薬の取り組みも数多くの女性の支持を受けています。日本でもようやく中絶問題を変えるための市民活動の成果が出始めています。

世界では1980年代末から使われている中絶薬も、2021年、国内で承認に向けての治験が行われ、本書の刊行の前後に承認申請が行われる可能性が出ています。古い女性規範を元に「女性の権利」を妨げようとする人々もまだいますが、女性が自らの身体で自らの人生のなかで子どもを産む限り、リプロダクティブ・ヘルス&ライツは普遍的な人権です。

21世紀の今、国連ではリプロダクティブ・ライツの議論が進展し、人権規約に女性と少女の安全な中絶への権利が明記されている時代なのです。でも、日本人はそうした事実をあまりにも知りません。知ることは力になります。知らなければ求めることもできません。本書を通じて世界の中絶について学び、意識が変わり、エンパワーされた女性たちが、世の中を変えるために声を上げていくようになることを願ってやみません。

最後に、この素晴らしい本を書いてくださったロビンさん、日本の若きアクティビストとして寄稿して下さった福田和子さん、そして訳本出版を英断して下さったアジュマ・ブックスの北原みのりさんと、カラフルで画像の多い本書を原著同様の美しい装丁で出すためにご尽力くださったスタッフの皆様に最大の敬意と感謝を込めて。

＊本稿では「人工妊娠中絶」について「中絶」という略語を用いました。また、フェミニズム運動の系譜に則り国際人権文書の範囲で議論するためにあえて「女性」と表現していますが、原著書同様にトランスやノンバイナリーの人々の権利を除外する意図はありません。

2021年11月

塚原久美

著者 **ロビン・スティーブンソン** Robin Stevenson
イギリス生まれ、カナダ育ち。大学では哲学とソーシャルワークを10年間学んでいた。25冊を超える子どもやティーンズ向けのフィクション／ノンフィクションを出している作家である。2016年にはLGBTQとサポーターたちを描いた『プライド：多様性とコミュニティを祝う（仮訳）』を刊行し、ストーンウォール オナー賞を受賞、全国児童図書評議会の「OUTSTANDING INTERNATIONAL BOOKS LIST」に選ばれている。本書は、2020年、シーラ・A・エゴフ児童文学賞を受賞した。
ホームページ：https://robinstevenson.com/

訳者 **塚原久美** Kumi Tsukahara
中絶問題研究家、中絶ケアカウンセラー、大学非常勤講師。国際基督教大卒業後、フリーランス翻訳者／ライターとして女性問題に関する出版等に従事。出産後、中絶問題の学際研究を始め2009年に金沢大学大学院で博士号（学術）、後に心理学修士号と公認心理師、臨床心理士資格も取得。『中絶技術とリプロダクティヴ・ライツ－フェミニスト倫理の視点から』（勁草書房、2014年）は、出版翌年の山川菊栄記念婦人問題研究奨励金とジェンダー法学会西尾学術奨励賞をダブル受賞。2020年9月RHRリテラシー研究所を立ち上げ、2021年3月内閣府研修講師も務めた。
ホームページ：https://www.rhr-literacy-lab.net/

解説 **福田和子** Kazuko Fukuda
世界性の健康学会（WAS）Youth Initiative Committee委員／I LADY. ACTIVIST／性の健康医学財団機関誌『性の健康』編集委員／国際基督教大学卒／ヨーテボリ大学大学院在学。大学入学後、日本の性産業の歴史を学ぶ。その中で、どのような法的枠組みであれば特に女性の健康、権利がどのような状況にあっても守られるのかということに関心をもち、学びの軸を公共政策に転換。その後、スウェーデンに1年間留学。そこでの日々から日本では職業等にかかわらず、誰もがセクシュアルヘルスを守れない環境にいることに気づく。避妊法の選択肢や、性教育の不足を痛感し、「私たちにも、選択肢とか情報とか、あって当然じゃない？」という思いから、2018年5月、『#なんでないのプロジェクト』をスタート。現在は再びスウェーデンに戻り、大学院で公衆衛生を学ぶ。

監修 **北原みのり** Minori Kitahara
作家、女性のためのプレジャーグッズショップ「ラブピースクラブ」を運営するアジュマ代表。2021年アジュマブックススタート。希望のたね基金理事。デジタル性暴力などの相談窓口NPO法人ぱっぷす副理事長。著書に『日本のフェミニズム』（河出書房新社）など多数。

ajuma booksはシスターフッドの出版社です。
アジュマは韓国語で中高年女性を示す美しい響きの言葉。たくさんのアジュマ（未来のアジュマも含めて!）の声を届けたいという思いではじめました。猫のマークは放浪の民ホボがサバイブするために残した記号の一つ。意味は「親切な女性が住んでいる家」です。アジュマと猫は最強の組み合わせですよね。柔らかで最強な私たちの読書の時間を深められる物語を紡いでいきます。一緒にシスターフッドの世界、つくっていきましょう。

ajuma books 代表　北原みのり

中絶がわかる本
MY BODY MY CHOICE

2022年1月14日　第1版第1刷発行

著者　ロビン・スティーブンソン
訳者　塚原久美
解説　福田和子
監修　北原みのり
発行者　北原みのり
発行　アジュマ
〒113-0033 東京都文京区本郷7-2-2
TEL 03-5840-6455
https://www.ajuma-books.com/
印刷・製本所　モリモト印刷

定価はカバーに表示してあります。

落丁・乱丁本は、送料小社負担にてお取り替えいたします。
小社まで購入書店名とともにご連絡ください。
（古書店で購入したものについてはお取り替えできません。）

ISBN978-4-910276-03-8　C0098　Y2500E

ajuma books